Faust:
Leben, Legende und Literatur

Faust:

Harold von Hofe

University of Southern California

Leben, Legende und Literatur

Holt, Rinehart and Winston — New York

Library of Congress Catalog Card Number: 65-13019

39076-8415

Printed in the United States of America

Preface

The purpose of *Faust: Leben, Legende und Literatur* is to acquaint the student early in his study of German with the Faust theme as it developed in three stages: the historical figure, the growth of the legend, and the literary treatment of the theme. It was designed primarily for use in the second semester, although in some cases it may be started as early as the second month in the study of German.

The first and second chapters have been edited to facilitate rapid understanding of the text and to improve aural-oral proficiency. The editing of the third chapter, with the selections from Goethe's *Faust*, aims at deepening appreciation of the literary value of those selections. The exercises on the life and legend of Faust and on the *Volksbuch* test factual understanding and develop competence in oral and written expression, while those based on chapter three have been designed to further literary insight and the ability to interpret.

Our version of the *Historia von D. Johann Fausten* is modernized and simplified as well as shortened. We are, of course, familiar with abridged modern versions of the *Historia* from the many publications of the last one hundred years and more. This version is shorter than the original version of 1587 or that of the Wolfenbüttel manuscript recently edited by Harry Haile, even though it contains several of the so-called Erfurt episodes. We have deleted the questions which Faust asks Mephostophiles to answer, the discussion of hell, the imaginary trip to hell, the visit of Satan and his coterie, and several repetitive episodes.

For the student interested in the historical Faust, the legend, or literary versions of the theme, we suggest a few titles.

Erich Schmidt, "Faust und das 16. Jahrhundert," *Charakteristiken.* Berlin, 1912, 2nd ed.

Hans Henning, "Faust als historische Gestalt," Goethe. Neue Folge des Jahrbuchs der Goethe-Gesellschaft. Weimar, 1959. (Hans Henning is a Marxist.)

Carl Kiesewetter, *Faust in der Geschichte und Tradition.* Leipzig, 1893 and Hildesheim, 1963. (The book is written from the point of view of an occultist.)

William Rose, ed., with a foreword by William K. Pfeiler, *The Historie of the Damnable Life and Deserved Death of Doctor Johann Faustus.* University of Notre Dame, 1963. (Republication of the original English translation of the *Historia von D. Johann Fausten* of 1587.)

Helmut Wiemken, ed., *Die Volksbücher von D. Johann Faust und Christoph Wagner.* Bremen, 1961.

E. M. Butler, *The Myth of the Magus.* Cambridge and New York, 1948.

Philip M. Palmer and Robert P. More, *The Sources of the Faust Tradition.* New York, 1936.

Hans Schwerte, *Faust und das Faustische.* Stuttgart, 1962. (History of the ideas imputed to the noun "Faust" and the adjective "Faustisch" from the sixteenth to the twentieth centuries.)

H. W. Geißler, *Gestaltungen des Faust. Die bedeutendsten Werke der Faustdichtung seit 1587.* 3 vols. München, 1927.

E. M. Butler, *The Fortunes of Faust.* Cambridge, 1952.

Karl Theens, *Doktor Johann Faust. Geschichte der Faustgestalt vom 16. Jahrhundert bis zur Gegenwart.* Meisenheim, 1948.

Charles Dédéyan, *Le thème de Faust dans la Littérature européenne.* 4 vols. Paris, 1954–

Hans Henning, *Faust in fünf Jahrhunderten. Ein Überblick zur Geschichte des Fauststoffes vom 16. Jahrhundert bis zur Gegenwart.* Halle, 1963.

Wolfgang Wegner, *Die Faustdarstellung vom 16. Jahrhundert bis zur Gegenwart.* Amsterdam, 1962.

Adolf Ingram Frantz, *Half a Hundred Thralls to Faust (1823–1949).* Chapel Hill, 1949. (A survey of translations into English from Goethe's *Faust.* For a comparable study of translations into Russian, including that of Boris Pasternak, the author of *Dr. Zhivago,* see Wilma Pohl, *Russische Faust-Übersetzungen.* Meisenheim, 1962.)

The illustrations of the *Volksbuch* are from the German editions of 1587 and 1685 and from the Dutch edition of 1592. The photographs of the staging of Goethe's *Faust* are from the Hamburger Schauspielhaus production which was directed by the late Gustaf Gründgens.

I owe much gratitude to my wife, Dr. Joseph Strelka, and to Dr. Dietrich Voegele for checking the manuscript and for making numerous valuable suggestions.

H. v. H.

Bildnachweis

S. 4, 110–111, 113, 117, 121, 128–129, 132–133, 149, 156–157, 158, 161, 177, 183: Rosemarie Clausen. S. 12, 39, 48, 50, 51, 52, 53, 56, 58, 62, 63, 65, 77, 92: Courtesy, New York Public Library. S. 13, 25, 104, 124–125: DPA Bild.

Inhaltsverzeichnis

Faust:
Leben, Legende und Literatur

=1=

Faust: Legende und Wirklichkeit

Wer ist Faust?

Wer ist Faust? Was ist Faust? Hat ein Mann mit Namen Faust wirklich gelebt? Ist er nur eine erdichtete Figur? Seit vier Jahrhunderten erregt die Legende von Doktor Faust und dem Teufel 5 die Phantasie der Menschen.

In einem bekannten amerikanischen Wörterbuch steht unter dem Wort Faust die englische Definition: „a German magician and astrologer held to have sold his soul to the devil in exchange 10 for worldly experience and power.“ Neben Faust steht das Adjektiv „Faustian“ ohne Definition.

Wer ist dieser Faust des Wörterbuchs? Meint man eine historische Persönlichkeit? Denkt man an eine Figur in der Oper? Spricht man von einer 15 erdichteten Person in der Literatur? Aus der Definition ist es nicht zu ersehen. Gewiß ist nur: es ist ein deutscher Mensch, und das Wort ist deutschen Ursprungs. Hinter dem Wort Faust steht „G.“

20 Ein Mensch mit Namen Faust, Zauberer, Wahrsager und Astrologe, hat wirklich gelebt. Er ist, unter anderem, eine historische Persönlichkeit. Wenn die Verfasser des amerikanischen Wörterbuches diesen historischen Faust im Sinne 25 hatten, stimmt die Definition nicht. Faust, dessen Vorname Johann(es) oder Georg war, lebte in der ersten Hälfte des sechzehnten Jahrhunderts. Von einem Pakt dieses historischen Faust mit dem Teufel hörte man im Laufe seines Lebens aber 30 nichts.

Hundert Dichter haben später über Faust geschrieben. Wenn man jedoch von einer erdichteten Person spricht, denkt man vor allem an die Figur in Goethes Werk. Goethes Dichtung, eine 35 der größten der Weltliteratur, heißt „Faust: Eine Tragödie“, obwohl das Drama im traditionell-literarischen Sinn des Wortes kein tragisches Ende hat. Für Goethes Dichtung stimmt die Wörterbuch-Definition auch nicht; denn sein Faust 40 „verkauft“ dem Teufel seine Seele nicht.

wirklich *really*

erdichtet *fictional* das Jahrhundert *century* erregen *excite* der Teufel *devil* die Phantasie *imagination*

bekannt *well-known* das Wörterbuch *dictionary*

meinen *mean*

die Persönlichkeit *personality* denken an *think of* die Oper *opera*

nicht zu ersehen *not clear* gewiß *certain*

der Ursprung *origin*

der Zauberer *magician*

der Wahrsager *fortune-teller*

unter anderem *among other things*

der Verfasser *author*

der Sinn *mind*

stimmen *be correct* dessen *whose*

der Vorname *first name*

der Lauf *course*

der Dichter *poet, writer*

vor allem *above all*

die Dichtung *poetic work*

die Welt *world* heißen *be called*

obwohl *although* der Sinn *sense, meaning*

auch nicht *not either*

verkaufen *sell* die Seele *soul*

ungenau *inexact*
hervorrufen *call forth*
im übrigen *for the rest* unklar *hazy* die Vorstellung *idea* mythisch *mythical* die Gestalt *figure*
erst *only* sich ein klares Bild machen *get a clear picture*
unterscheiden *distinguish*
die Kunst *art*

Die ungenaue Definition des amerikanischen Wörterbuches ist charakteristisch für die Assoziationen, die der Name Faust hervorruft. Man denkt an den Teufel, an einen Pakt, an das Verkaufen der Seele. Im übrigen hat man unklare Vorstellungen; denn Faust ist eine mythische Gestalt geworden. 5

Von Faust kann man sich erst ein klares Bild machen, wenn man den historischen Faust von dem Faust der Legende unterscheidet—und 10 den Faust der Legende von dem Faust in der Literatur, Musik und Kunst.

Doktor Faust

Die historische Persönlichkeit

genug *enough* um . . . zu *in order to*
früh *early* die Nachrichten *news*
sogenannt *so-called* stammen *be, be derived*
der Theologe *theologian* der Historiker *historian* sich beschäftigen *occupy oneself* allerdings *to be sure* schwarz *black* der Anhänger *disciple*
himmlisch *heavenly*
der Geist *spirit*
höllisch *of hell* böse *evil*

Über die historische Persönlichkeit weiß man nicht sehr viel, aber doch genug, um sich ein Bild zu machen. 15

Die frühesten Nachrichten über den historischen Faust, einen sogenannten Zauberer, stammen von Johannes Trithemius von Sponheim. Trithemius war in der ersten Hälfte des sechzehnten Jahrhunderts ein bekannter Theologe und 20 Historiker. Trithemius von Sponheim beschäftigte sich selber mit der Magie, allerdings mit der weißen, nicht der schwarzen Magie. Anhänger der weißen Magie beschäftigten sich mit himmlischen, also guten Geistern, Anhänger der schwarzen mit 25 höllischen, also bösen Geistern. Die schwarze Magie war die des Teufels.

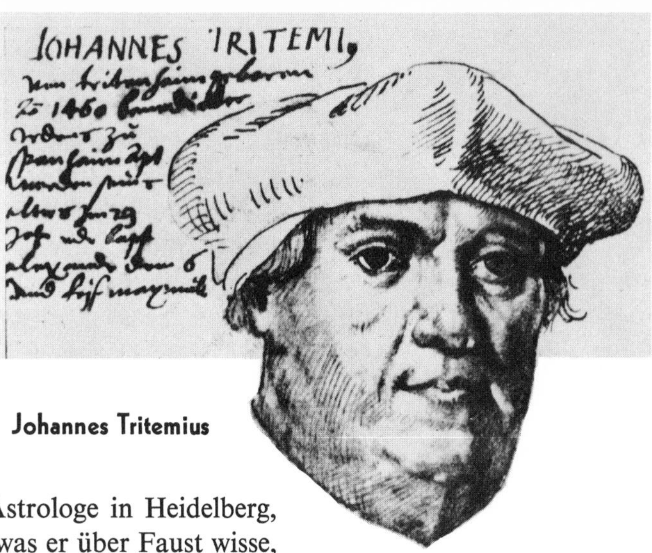

Johannes Tritemius

Ein Freund, selber Astrologe in Heidelberg, hatte Trithemius gefragt, was er über Faust wisse, wer dieser Faust sei.

Am 20. August 1507 schreibt Trithemius von Sponheim seinem Freund einen langen Brief und berichtet ihm dies und jenes über den Menschen Faust, über den Zauberer Faust, über seine Reisen und Prahlereien.

Faust wagt, schreibt Trithemius, sich den Fürsten der Zauberer zu nennen. In Wahrheit ist er ein Landstreicher, ein Scharlatan und Schwindler. Was Faust über sich sagt, ist ein Zeichen des unsinnigsten und dümmsten Geistes; es ist ein Zeichen, daß Faust ein Narr ist und kein Philosoph, meint der Anhänger der weißen Magie Trithemius.

Der Wahnsinnige nennt sich die Quelle der Magie. Die unsinnige Verwegenheit eines Menschen, sich die Quelle der Magie zu nennen, schreibt der Magier Trithemius. Der wahnsinnige Faust prahlt, er könne wahrsagen—aus der Hand und der Luft, aus dem Feuer und dem Wasser. In Wahrheit ist der Mensch in allen Wissenschaften unwissend. Er ist ein Narr, meint Trithemius noch einmal.

In Gegenwart vieler Menschen sagte der Schwindler Faust einmal, er habe ein sehr großes Wissen und ein sehr gutes Gedächtnis. Er könnte zum Beispiel alle Werke von Plato und von Aristo-

sei *was*

der Brief *letter*

berichten *report*

die Reise *trip* die Prahlerei *boasting* wagen *dare* sich nennen *call oneself* der Fürst *prince* die Wahrheit *truth* der Landstreicher *vagabond, tramp*

das Zeichen *sign*

unsinnig *foolish* der Geist *mind*

der Narr *fool* der Philosoph *philosopher* meinen *think*

wahnsinnig *insane* die Quelle *fountainhead* die Verwegenheit *impertinence*

prahlen *boast* wahrsagen *tell fortunes* die Luft *air*

die Wissenschaft *science* unwissend *ignorant* noch einmal *once more*

die Gegenwart *presence*

das Wissen *learning* das Gedächtnis *memory* zum Beispiel *for example*

herstellen *produce* verloren gegangen *lost* die Stadt *city* soll *is said to*
das Wunder *miracle* Christi *of Christ* seien *were* gar *at all* wunderbar *marvelous*
erzählen *tell* weiterschreiben *continue* vollkommen *perfect*
könne *could do* was nur *whatever*
wünschen *wish, desire*
erfahren *find out*
flüchten *flee* sofort *immediately*
gab es *were there*
derselbe *the same*
die Gewißheit *certainty* weder . . . noch *neither . . . nor*
nach *according to* die Akten *records*
wahrscheinlich *probably*
ungefähr *about*
das Wanderleben *roving life*
der Dogmatiker *dogmatist*

teles wieder herstellen, wenn sie verloren gegangen wären. In der Stadt Würzburg soll er in Gegenwart vieler Menschen gesagt haben, die Wunder Christi, über die man in der Bibel liest, seien gar nicht so wunderbar. Er selber könnte alles tun, was Jesus getan hat, so oft und wann er wolle.

In der Stadt Kreuznach erzählte er, schreibt Trithemius weiter, er sei der Vollkommenste in der Alchemie. Er wisse und könne, was nur die Menschen von ihm wünschten.

Als Faust aber nach dem Städtchen Gelnhausen kam und erfuhr, daß Trithemius von Sponheim auch dort war, flüchtete er sofort.

In dem Brief, den Trithemius an seinen Freund, den Heidelberger Astrologen, schrieb, nennt er Faust Georg Sabellicus und Faust Junior. In anderen Dokumenten heißt er Johann. Gab es zwei Fausts, oder waren Georg, Faust Junior und Johann ein und derselbe Mensch? Mit Gewißheit können wir weder das eine noch das andere sagen.

Nach den Akten der Universität Heidelberg hat zum Beispiel ein Johann Faust in den Jahren von 1505 bis 1509 dort studiert. War es derselbe Faust, über den Trithemius schrieb? Wahrscheinlich war er es nicht, denn nach anderen Akten war er 1505 ungefähr fünfundzwanzig Jahre alt und hatte sein Wanderleben schon begonnen. Auch begann Melanchthon, der Dogmatiker der

Reformation, 1509 sein Studium in Heidelberg, erzählte später einem von seinen Schülern vieles über Faust, sagte aber nichts darüber, daß Faust in Heidelberg war.

Am 3. Oktober 1513 schreibt der bekannte Humanist Konrath Muth einen Brief, in dem er über einen Georg Faust berichtet. Vor einer Woche, schreibt Muth, kam ein gewisser Chiromant, ein Prahler und Narr, nach Erfurt. Er prahlte frech über seine Wahrsagungen. Das unwissende Volk bewunderte ihn. In dem Brief Konrad Muths stehen zwei lateinische Wörter, die „der Halbgott aus Heidelberg" bedeuten könnten.

Im Laufe der folgenden Jahre reiste Faust von Ort zu Ort. Bald ist er hier, bald ist er dort. Er trieb Wahrsagerei und stellte Fürsten und vornehmen Herren das Horoskop. Im Februar des Jahres 1520 stellte „Doktor Faust, der Philosoph" zum Beispiel dem Fürstbischof Georg III. von Bamberg das Horoskop. Aus dem Rechnungsbuch des Fürstbischofs können wir ersehen, Faust bekam zehn Gulden für das Stellen des Horoskops in Bamberg.

Nach dem Tagebuch des Priors Kilian Leib vom Kloster Rebdorf—es liegt zwischen den Städten Nürnberg und Ingolstadt in Bayern—war Doktor Georg Faust im Juli 1528 dort. Er erzählte Kilian Leib, Propheten würden geboren,

der Schüler *student*
der Chiromant *palmist*
frech *impudently*
bewundern *admire*
lateinisch *Latin*
der Halbgott *demigod* bedeuten *mean*
folgend *following* reisen *travel*
der Ort *place* bald . . . bald *now . . . then* Wahrsagerei treiben *tell fortunes* stellen *cast* vornehm *distinguished*
das Rechnungsbuch *account book*
ersehen *note, see*
bekommen *get* der Gulden *guilder*
das Tagebuch *diary*
das Kloster *cloister, monastery*
Bayern *Bavaria*
würden geboren *were born*

wenn Jupiter und die Sonne in derselben Konstellation stünden. In Klammern schreibt der Prior von Rebdorf: „Vermutlich solche wie er!“

In demselben Jahr 1528 versuchte er es in Ingolstadt mit Wahrsagen. Er nannte sich hier Doktor Jörg Faust. Nach den Akten der Stadt wies man ihn aus. Vier Jahre später taucht er in Nürnberg auf. Aus den Akten der Stadt Nürnberg kann man ersehen, der Bürgermeister hat ihn 1532 selber dort ausgewiesen.

Am 13. August 1536 schreibt Joachim Camerarius, bekannter Humanist und Philologe im Deutschland des sechzehnten Jahrhunderts, an einen Freund in Würzburg von den Gaukelspielen Fausts. Er verbreite Aberglauben über das ganze Land, meinte der aufgeklärte Camerarius.

In einer Nachricht des Jahres 1539 lesen wir, daß Faust nicht mehr unter den Lebenden ist. Philipp Begardi, der Stadtarzt von Worms—Worms liegt zwischen Heidelberg und Frankfurt—spricht in diesem Jahr von dem v e r s t o r b e n e n Faust. Auf seinen Reisen habe der „Philosoph der Philosophen“, wie er sich nannte, viele Menschen betrogen, erzählte Begardi. Sein Name war allen bekannt. Man kannte ihn als Arzt und als Chiromant, denn er konnte aus der Hand wahrsagen. Faust prahlte immer, er sei ein sehr großer und bedeutender Zauberer. Er versprach viel, tat wenig, säumte aber nicht, Geld einzukassieren. Wenn er dagegen etwas zu bezahlen hatte, war er bald verschwunden. Da kann man nichts machen! „Hin ist hin!“ meinte der Stadtarzt von Worms, Dr. Begardi.

Nach Fausts Tod kam noch eine Nachricht

stünden *were* die Klammer *parenthesis* vermutlich *presumably*
versuchen *try*
ausweisen *expel* auftauchen *appear*
der Bürgermeister *mayor*
der Philologe *scholar of language and literature*
das Gaukelspiel (*magic*) *trickery*
verbreiten *spread* der Aberglaube *superstition* aufgeklärt *enlightened*
nicht mehr *no longer*
der Arzt *physician*
verstorben *deceased, late*
betrügen *cheat*
bedeutend *important* versprechen *promise* säumen *delay* einkassieren *collect* dagegen *on the other hand* bezahlen *pay* verschwinden *disappear*
hin ist hin *what is gone is gone*
der Tod *death* noch eine *another*

in Form eines Briefes aus Südamerika. Eine italienisch-deutsche Expedition war nach Klein-Venedig, nämlich Venezuela, gefahren. Der Kommandant war ein Deutscher, Philipp von Hutten. Aus Venezuela schrieb von Hutten an seinen Bruder in Deutschland, der Philosoph Faust habe mit seinen Wahrsagungen recht gehabt. Faust hatte nämlich prophezeit, man würde in Venezuela ein böses Jahr haben. Philipp von Hutten schrieb, er hätte in der Tat ein böses Jahr hinter sich.

Die Nachricht aus der Neuen Welt ist die letzte von einem Menschen, der Faust selber kannte und ihn gesprochen hatte. In einem Zeitalter des Aberglaubens, in dem man an weiße und schwarze Magie, an Hexen, Teufel und Dämonen glaubte, war der auffällige Faust aber vom Hörensagen in Stadt und Dorf bekannt. Man schrieb von ihm, man sprach von ihm, auch wenn man selber nicht mit ihm gesprochen hatte. Die Erzählungen über den Zauberer Faust, über den Wahrsager Faust, gingen von Mund zu Mund.

Der historische Faust hatte das Talent, viel von sich reden zu machen. In der Geschichte der Magie spielt er dagegen gar keine Rolle, im Gegensatz zum Beispiel zu dem Magier John Dee in England, den man den englischen Faust nannte. „Faust ist der Okkultist aller Okkultisten" schrieb ein deutscher Okkultist, aber in Wahrheit spielt er keine Rolle in der Geschichte des Okkultismus. In der Geschichte der Wahrsagerei findet man seinen Namen auch nicht, und doch ist er bekannter als alle Magier, Okkultisten und Wahrsager.

Venedig *Venice*

recht haben *be right*

würde *would*

böse *bad*

in der Tat *indeed*

letzt *last*

sprechen *speak with* das Zeitalter *age* der Aberglaube *superstition* die Hexe *witch* der Dämon *demon* auffällig *showy, remarkable* das Hörensagen *hearsay* das Dorf *village*

auch wenn *even if*

die Erzählung *story*

der Mund *mouth*

viel von sich reden machen *cause a great stir* die Geschichte *history*

der Gegensatz *contrast*

VVITTEMBERGA.

Ansicht von Wittenberg vom Jahr 1551

Die Legende von Doktor Faust

Ist Faust eines natürlichen Todes gestorben? Hat Faust einen Pakt mit dem Teufel unterschrieben? In den historischen Berichten und Dokumenten steht nichts von einem Teufelspakt und nichts von einem unnatürlichen Tod. Gegen Ende des sechzehnten Jahrhunderts glaubte aber ganz Europa, Faust habe sich dem Teufel verschrieben, und der Teufel habe ihn nach vierundzwanzig Jahren geholt.

sterben *die*
unterschreiben *sign*
unnatürlich *violent, unnatural*
sich verschreiben *sell one's soul*
holen *come for, take*

In der sagenhaften Geschichte von Faust ist der Hauptschauplatz die Stadt Wittenberg. Der Legende nach beginnt er hier sein Studium, und er beschwört im Walde bei Wittenberg den Teufel. Nachdem er den Teufelspakt unterschrieben hat, verbringt er einen großen Teil seines Lebens in Wittenberg. In einem Wirtshaus bei Wittenberg stirbt er—keines natürlichen Todes. Der Teufel holt ihn.

sagenhaft *legendary*
Haupt- *main* der Schauplatz *setting* nach *according to*
beschwören *conjure*
nachdem *after*
verbringen *spend* der Teil *part*
das Wirtshaus *inn*

Auf der Landkarte von Deutschland ist das Städtchen Wittenberg ein kleiner Punkt zwischen Berlin und Leipzig. Historisch ist es die Hauptstadt der deutschen, der europäischen Reformation.

die Landkarte *map*
der Punkt *dot*
die Hauptstadt *capital*

In Wittenberg gründete Friedrich der Weise, Kurfürst von Sachsen, 1502 die erste „weltliche" deutsche Universität. Hinter den älteren deutschen Universitäten wie Wien, Heidelberg und Leipzig stand die Kirche. Hinter Wittenberg stand nur der Kurfürst von Sachsen—und der Kaiser. Die neue

gründen *found*
der Kurfürst *Elector* Sachsen *Saxony* weltlich *secular, civil*
Wien *Vienna*
die Kirche *church*

Universität blühte schnell auf. Der erste Rektor, Christoph Scheurl, hatte in Italien studiert, und zwar in Bologna, schrieb aber über die neue Universität: „Glaubt mir, so viele und allseitig gelehrte Männer hat weder Padua noch die Mutter der Studien, Bologna.“

Sechs Jahre nach der Gründung der Universität kam ein fünfundzwanzig Jahre alter Lehrer, ein Augustinermönch, nach Wittenberg. Er war Theologe und hieß Martin Luther. 1517, das Jahr der fünfundneunzig Thesen, begann ein neues

aufblühen *flourish*

allseitig *all round* gelehrt *learned*

weder . . . noch *neither . . . nor*

die Gründung *founding*

der Lehrer *teacher*

der Mönch *monk*

Schloßkirche, Wittenberg

Die Figur der Tauff vnſers Heilands Jheſu Chr

Gottheit in dreien Perſonen geſchehen iſt / W.

Luther und die Familie des Kurfürsten von Sachsen, von Lukas Cranach

Zeitalter. Für die Menschen des sechzehnten Jahrhunderts wurde die Stadt Wittenberg so bekannt wie Wien und Leipzig und Frankfurt.

der Bürger *citizen*

überhaupt *at all* ansehen *regard*

Der bekannteste Bürger Wittenbergs war Martin Luther, nicht Johann Faust, wenn man Faust überhaupt als Bürger Wittenbergs ansehen darf. Der Name Faust war Martin Luther jedoch

do die herrliche Offenbarung der ewigen einigen
Christen in der Anruffung betrachten sollen.

bekannt. Als er eines Abends mit Freunden zusammen war, fiel der Name des Zauberers; Faust soll den Teufel seinen Schwager nennen, sagte einer der Freunde. Martin Luther sagte ernst, der Teufel gebrauche der Zauberer Dienst gegen ihn nicht; denn der Teufel hätte ihm längst Schaden getan, wenn er es gekonnt hätte.

fallen *be mentioned*

sollen *be said to* der Schwager *brother-in-law, crony* ernst *seriously* gebrauchen *use* der Dienst *service* hätte *would have* längst *long ago* der Schaden *harm*

EFFIGIES REVERENDI VIRI, D. PHILIP
MELANTHONIS EXPRESSA VVITEBRGAE,
ANNO M. D. LXXX.

Martin Luther in Wittenberg

Philipp Melanchthon

der Dogmatiker *dogmatist*

besitzen *possess*

aus erster Hand *firsthand information*

Neben Martin Luther war Philipp Melanchthon, der Dogmatiker der protestantischen Reformation, der bekannteste Bürger Wittenbergs. Von dem Freund Luthers besitzen wir auch eine Nachricht über Faust, aber nicht aus erster Hand. 5

Melanchthon hatte auf der Universität Heidelberg studiert. Er begann sein Studium, als er zwölf Jahre alt war, und zwar im Jahr 1509. Nach den Akten der Universität beendete ein Johann Faust seine Studien in dem Jahr in Heidelberg. 10 Darüber erfahren wir von Melanchthon aber nichts. Mit einundzwanzig Jahren wurde Me-

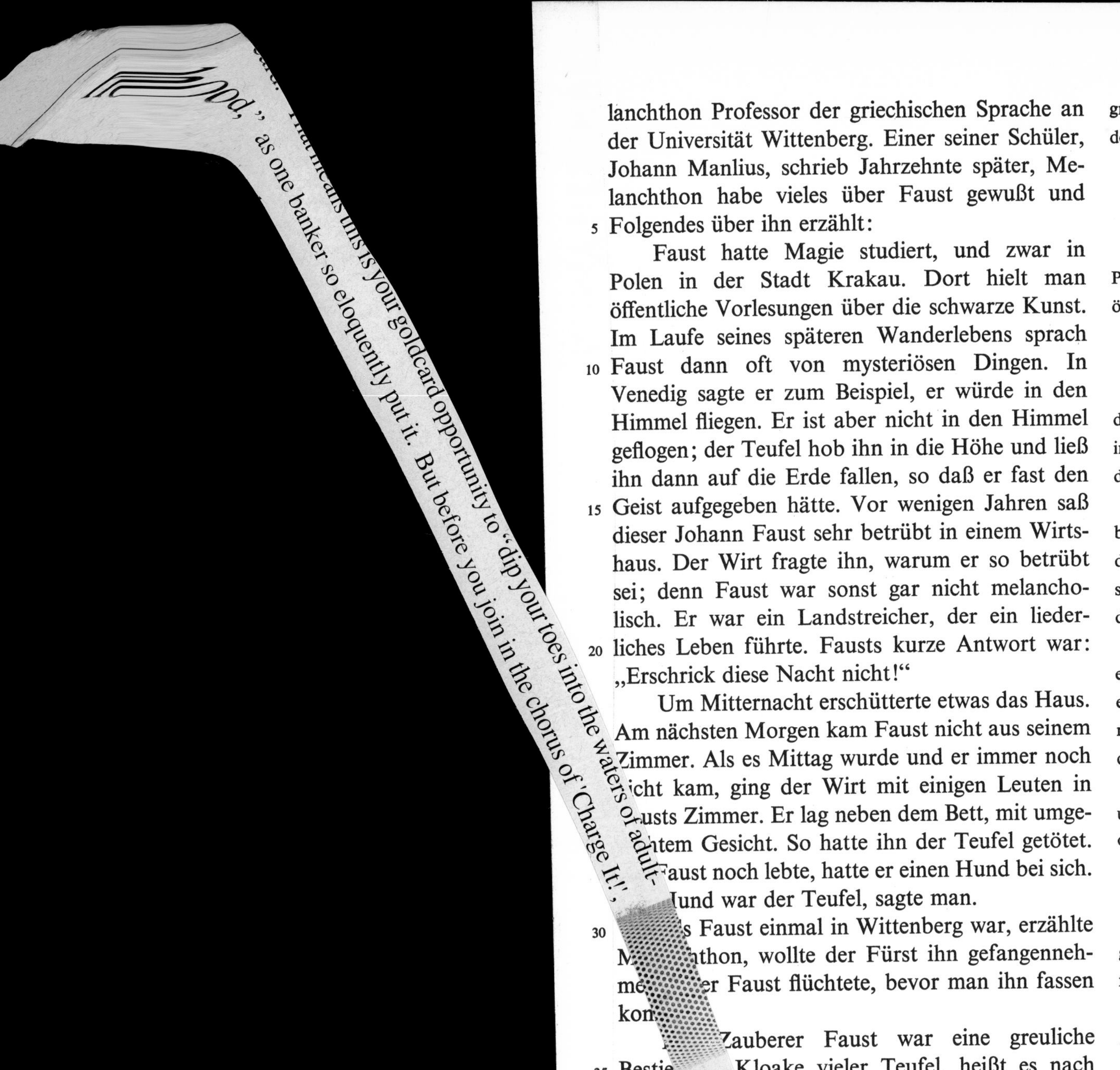

lanchthon Professor der griechischen Sprache an der Universität Wittenberg. Einer seiner Schüler, Johann Manlius, schrieb Jahrzehnte später, Melanchthon habe vieles über Faust gewußt und Folgendes über ihn erzählt:

Faust hatte Magie studiert, und zwar in Polen in der Stadt Krakau. Dort hielt man öffentliche Vorlesungen über die schwarze Kunst. Im Laufe seines späteren Wanderlebens sprach Faust dann oft von mysteriösen Dingen. In Venedig sagte er zum Beispiel, er würde in den Himmel fliegen. Er ist aber nicht in den Himmel geflogen; der Teufel hob ihn in die Höhe und ließ ihn dann auf die Erde fallen, so daß er fast den Geist aufgegeben hätte. Vor wenigen Jahren saß dieser Johann Faust sehr betrübt in einem Wirtshaus. Der Wirt fragte ihn, warum er so betrübt sei; denn Faust war sonst gar nicht melancholisch. Er war ein Landstreicher, der ein liederliches Leben führte. Fausts kurze Antwort war: „Erschrick diese Nacht nicht!"

Um Mitternacht erschütterte etwas das Haus. Am nächsten Morgen kam Faust nicht aus seinem Zimmer. Als es Mittag wurde und er immer noch [illegible]icht kam, ging der Wirt mit einigen Leuten in [illegible]usts Zimmer. Er lag neben dem Bett, mit umge[illegible]htem Gesicht. So hatte ihn der Teufel getötet. [illegible]aust noch lebte, hatte er einen Hund bei sich. [illegible]und war der Teufel, sagte man.

[illegible]s Faust einmal in Wittenberg war, erzählte M[illegible]nthon, wollte der Fürst ihn gefangenneh-me[illegible]er Faust flüchtete, bevor man ihn fassen kon[illegible]

[illegible]Zauberer Faust war eine greuliche Bestie[illegible] Kloake vieler Teufel, heißt es nach Johann [illegible]ius zum Schluß. Er prahlte, er habe alle Sieg[illegible] kaiserlichen Heere in Italien durch seine Ma[illegible]wonnen. Das war die unsinnigste aller Lügen, meinte Philipp Melanchthon.

In der zweiten Hälfte des sechzehnten Jahrhunderts erzählte man häufig, Faust habe die Zauberei in der Zauberschule von Krakau gelernt.

griechisch *Greek*
der Schüler *student*
Polen *Poland* halten *give*
öffentlich *public* die Vorlesung *lecture*
der Himmel *heaven*
in die Höhe heben *pick up*
den Geist aufgeben *give up the ghost*
betrübt *depressed*
der Wirt *innkeeper*
sonst *otherwise*
der Landstreicher *vagabond, tramp* liederlich *disorderly*
erschrecken *be frightened*
erschüttern *shake violently*
nächst *next*
das Zimmer *room*
umdrehen *twist around*
das Gesicht *face* töten *kill*
gefangennehmen *take prisoner*
fassen *arrest*
greulich *horrible*
die Kloake *sewer* heißen *be said*
zum Schluß *in conclusion*
der Sieg *victory* kaiserlich *imperial* das Heer *army* unsinnig *absurd* die Lüge *lie*
häufig *frequently*

Der holländische Arzt Johannes Wier schrieb 1568 zum Beispiel in seinem bekannten Werk über Dämonen, in Krakau halte man öffentliche Vorlesungen über die schwarze Kunst, und Faust habe die Schwarzkunst sehr schnell dort gelernt. An vielen Orten Deutschlands habe er die Menschen dann betrogen. Über seine Lügen und seine Prahlereien, daß er alles tun könnte, haben sich die Leute immer wieder verwundert. Den Teufel nannte Faust seinen Schwager.

Eines Morgens, schrieb Doktor Wier, fand man Faust tot neben seinem Bett liegen—und zwar mit umgedrehtem Gesicht. Die Nacht zuvor war solch ein Tumult, daß das ganze Haus davon erschüttert wurde. Die Ähnlichkeit der Berichte Doktor Wiers und Philipp Melanchthons ist auffallend.

Hat Faust selber Bücher geschrieben? Hat er Manuskripte hinterlassen? Im Volksbuch vom Jahre 1587 steht, die Geschichte seines Lebens habe er selber geschrieben. Der Herausgeber habe aber die Zauberformeln weggelassen. In einer Chronik vom Jahre 1566 hieß es, Faust habe seine Bücher einem Herrn von Staufen hinterlassen.

Über zweihundert Jahre lang erschienen Bücher, die Faust selber geschrieben haben soll. Sie enthielten fast all die weggelassenen Zauberformeln. Das bekannteste dieser Werke hat den Titel „Magia naturalis et innaturalis;" es schildert, wie es in dem Untertitel heißt, wie Faust „höllische Geister bezwungen" hat.

Obwohl man im Laufe der Jahrhunderte von Doktor Fausts „Originalpapieren" sprach, sind die Bücher, die unter seinem Namen erschienen, nicht von ihm.

sich verwundern *be astonished*
tot *dead*
die Ähnlichkeit *similarity*
auffallend *striking*
hinterlassen *leave (behind)* das Volksbuch *popular romance, chapbook*
der Herausgeber *publisher*
die Formel *formula* weglassen *leave out, omit* die Chronik *chronicle*
hinterlassen *bequeath*
enthalten *contain*
schildern *describe*
der Untertitel *subtitle*
bezwingen *show mastery over*

Traktatus von den bösen Weibern die man nennt die Hexen. Augsburg, 1508.

Die Namen Faust und Mephostophiles

Unter den Faust-Fragen ist eine, die man ebensowenig beantworten kann, wie gewisse Fragen über den historischen Faust. Es ist die Frage: Woher kommt der Name, was bedeutet der Name? Lange verwechselte man den Namen des Zauberers und Wahrsagers Johann Faust mit dem Namen des Mainzer Bürgers Johann Fust. Fust stammte aus guter Familie, war Bankier und Drucker. Die Vornamen der beiden sind dieselben, die Familiennamen sind dieselben. Das „u“ wird nämlich im Neuhochdeutschen ein „au.“ (Haus hieß im Mittelalter hūs, Maus hieß mūs und Laus lūs). Johann Fust lebte fast hundert Jahre vor Johann Faust. Um die Mitte des fünfzehnten Jahrhunderts lieh Fust dem Erfinder der Buchdruckerkunst, Johannes Gutenberg, Geld und arbeitete mit am Drucken der ersten Bibel.

Für die Menschen, die Fust mit Faust verwechselten, war das Drucken von Büchern eine Form der Zauberei. Der Teufel hatte die Hand im Spiel, wenn ein Mensch sich mit vielen Büchern beschäftigte—wenn er viel las und spekulierte. Ein Mensch, der sich zu viel mit Büchern beschäftigt, ist unbeherrscht. Und den Unbeherrschten reitet der Teufel.

Der Familienname Faust ist in Deutschland kein seltener Name. Es ist dagegen möglich, daß

ebensowenig *just as little* beantworten *answer*

bedeuten *mean*

verwechseln *confuse*

Mainzer *of Mainz*

stammen aus *come from* der Bankier *banker* der Drucker *printer* beide *two*

das Mittelalter *Middle Ages*

leihen *lend* der Erfinder *inventor* die Buchdruckerkunst *art of printing*

mitarbeiten *collaborate*

die Hand im Spiel haben *have a finger in the pie*

spekulieren *speculate, meditate*

unbeherrscht *independent, unchecked* reitet der Teufel *the devil has got into*

selten *rare* möglich *possible*

sich der Zauberer, Astrologe und Wahrsager Johann . . . den Namen Faust selber zugelegt hat. Vielleicht dachte er an den lateinischen Ursprung des Wortes. Im Lateinischen bedeutet Faustus „der Glückliche.“ Möglich ist auch, Faust dachte 5 an das Lateinische Wort *fūstis*, das „Knittel“ bedeutet; denn er wurde vielleicht in dem Dorf Knittlingen in Schwaben geboren.

Wie steht es nun mit dem Namen des diabolischen Geistes Mephostophiles, wie der Abge- 10 sandte der Hölle im Volksbuch heißt? Sein Name ist auch kein klarer Fall. Goethes Faust sagte zu dem Geist, der sich in Goethes Werk Mephistopheles schreibt:

> *Bei euch, ihr Herrn, kann man das Wesen*
> *Gewöhnlich aus dem Namen lesen.*

Beim Mephostophiles des Volksbuches hat 15 man versucht, das Wesen aus dem Namen zu lesen, doch der Ursprung bleibt dunkel. Kommt der Name von dem Wort Mephitis? Er könnte auch von einem griechischen Wort stammen: Mephotophiles—kein Freund des Lichtes oder von 20 Mefaustophiles—kein Freund Fausts. Hat das griechische Wort ophis = Schlange mit dem Namen etwas zu tun? Es gibt auch eine Möglichkeit, vielmehr drei Möglichkeiten, wie in dem Fall des Griechischen, daß er hebräischen Ursprungs 25 ist: Mephitofel = Mund der Falschheit, Mephostophiel = Verderber des Guten oder Mephiztophel = Verderber-Lügner. (Goethe nennt Mephistopheles zwar „Verderber, Lügner“, schreibt aber einem Freund am 20. November 1829, man 30 komme ins Ungewisse, „wenn man sich auf historische und etymologische Untersuchungen einlasse.“)

Was auch das Wort Mephostophiles/Mephistopheles bedeutet, etwas Widerliches schwingt bei 35 dem Namen des Abgesandten der Hölle mit. Auch ist neu, daß der Dämon Satans einen Namen hat. Das gab es bei früheren Teufelspaktgeschichten nicht.

sich zulegen *take (for oneself)*
der Ursprung *origin*
glücklich *fortunate*
der Knittel *club, stick*
wurde geboren *was born*
Schwaben *Swabia*
der Abgesandte *ambassador*
ein klarer Fall *a clear-cut case*
das Wesen *character*
gewöhnlich *usually*
versuchen *try*
dunkel *obscure*
die Mephitis *foul stench*
die Möglichkeit *possibility*
vielmehr *rather*
hebräisch *Hebrew*
die Falschheit *falsehood, deceit*
der Verderber *destroyer* der Lügner *liar*
ins Ungewisse kommen *get into a doubtful area* sich einlassen auf *become involved in* die Untersuchung *inquiry*
was auch *whatever*
widerlich *obnoxious*
mitschwingen *re-echo*
das gab es nicht *that was not the case*

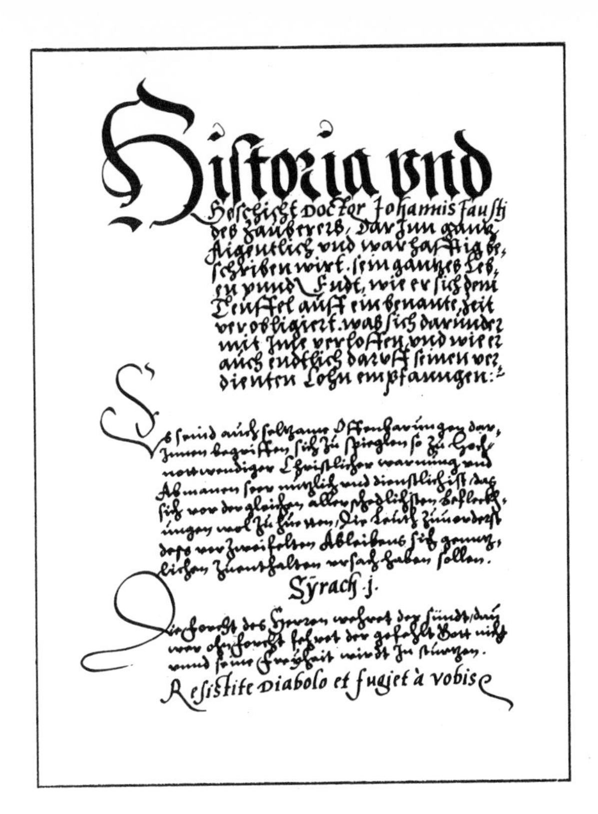

Historia vnd Geschicht Doctor Johannis Faustj des Zauberers, Darinn gantz eigentlich vnd warhafftig beschriben wirt, sein gantzes Leben vnd Ende, wie er sich dem Teuffel auff ein benante zeit verobligiert, was sich darundter mit Ime verloffen, vnd wie er auch endtlich darvff seinen verdienten Lohn empfangen.

Syrach j.

Resistite diabolo et fugiet a vobis

Die erste beschriebene Seite der Wolfenbütteler Handschrift des Volksbuches vom Doktor Faust

Das Wachsen der Legende

Der böse Geist mit dem widerlichen Namen entsteht mit der Faustsage, die diverse Zauber-, Dämonen-, Sterndeuter- und Reisegeschichten wie ein Magnet anzieht. Was Philipp Melanchthon und Johannes Wier erzählen, erzählen zahllose andere—mit Variationen und Zugaben. Wie kommt es, daß immer neue Faustanekdoten und Fausterzählungen entstehen, die dann 1587 in der „Historia von D. Johann Fausten, dem . . . Zauberer und Schwarzkünstler“ eine Buchsensation werden? In späteren Auflagen finden sich noch neue Zugaben.

In was für einem Boden wächst die Legende? Wie sieht die Welt des damaligen Zeitalters aus?

entstehen *come into being* die Sage *legend* der Sterndeuter *astrologer* anziehen *draw (to itself), attract*

zahllos *countless*

die Zugabe *addition*

der Schwarzkünstler *sorcerer*

die Auflage *edition* sich finden *are found*

was für ein *what kind of* der Boden *soil* aussehen *look* damalig *of that*

Teufels-
beschwörung

erstens *in the first place*
immer größer *bigger and bigger*
die Sternwarte *observatory*
blicken *look* entdecken *discover*
der Mittelpunkt *center*
sich drehen *revolve*
fahren *travel, go*
gefährlich *dangerous*
die Beschreibung *description*
aufklären *enlighten*
erwachend *awakening*
herrschen *reign*
der Aberglaube *superstition* die Furcht *fear*
ein gutes Geschäft *a good profit*
zugleich *at the same time*
die Wissenschaft *science*

Erstens wird die Welt für die Menschen des fünfzehnten und sechzehnten Jahrhunderts immer größer. 1471 entsteht in Nürnberg die erste Sternwarte. Es gibt etwas Neues unter der Sonne. Man blickt in den Himmel und entdeckt, daß die Erde nicht der Mittelpunkt der Welt ist. Die Erde und die anderen Planeten drehen sich um die Sonne.

Auch die Erde wird für die Menschen der damaligen Zeit größer. Kolumbus entdeckt die Neue Welt. Seefahrer fahren nach Mittelamerika, nach Südamerika, nach Nordamerika, um die ganze Erde. Man fährt, man sucht. Das *Fahren* ist ge*fähr*lich, aber man er*fährt* immer Neues.

Auch lesen die Menschen von dem, was man erfährt; denn seit der Zeit Gutenbergs gibt es gedruckte Bücher. Man liest Weltchroniken und Weltbeschreibungen. Manche Bücher klären die Menschen auf, viele andere stehen dem Aufklären im Wege. Man nennt die Epoche die Zeit des erwachenden kritischen Geistes. Es gibt in der Tat kritische Geister, aber am Fuß der Lampe ist es noch dunkel. Unter den Massen herrscht der Aberglaube, das Kind der Furcht. Herausgeber machen ein gutes Geschäft mit Büchern der Zauberei und des Aberglaubens.

Man nennt die Epoche die Zeit der Astronomie. Die Astronomen sind zugleich Astrologen. Die Astronomie ist Wissenschaft, aber die Astrologie will Wissenschaft und Religion zugleich sein.

Die Menschen glauben an den Einfluß der Sterne auf das Leben, und aus dem Lauf der Sterne bauen sie eine Weltanschauung auf.

Man nennt die Epoche die Zeit der Entdeckungen. Die Massen bevölkern die immer größere Welt aber mit Dämonen, Teufeln und diversen bösen Geistern. Für die gequälten Menschen ist die Welt voller Magie, Hokuspokus und Abrakadabra. Die Ausdrücke sind charakteristisch. „Hokuspokus" stammt von einer pseudolateinischen Zauberformel „hax, pax, max", „Abrakadabra" von dem mystischen Gottesnamen Abraxas. Nach griechischer Zählung drückt Abraxas die Zahl 365 aus: A = 1, b = 2, r = 100, a = 1, x = 60, a = 1, s = 200, zusammen 365. Es soll nämlich 365 Himmelreiche geben.

Trotz des Hokuspokus, Abrakadabra und trotz anderer Zauberformen hat man Furcht vor dem Teufel, vor der Hölle, vor den Sternen. Man befürchtet das Kommen einer neuen Sintflut, das Ende der Welt. Dämonen, phantastische Mittelformen zwischen Gott und Mensch, sind überall. Die Luft ist voll von klugen und dummen, feinen und vulgären, harmlosen und schädlichen Teufelsgestalten.

„Wer sieht und hört nicht täglich vielerlei Gespenster? Wer sieht nicht täglich viele Visionen in der Luft, auf Erden und über dem Wasser?" fragt ein Autor des sechzehnten Jahrhunderts.

der Einfluß *influence*

aufbauen *construct* die Weltanschauung *philosophy of life* die Entdeckung *discovery*

bevölkern *populate*

quälen *torment*

voller *full of*

der Ausdruck *expression*

die Zählung *calculation* ausdrücken *express*

die Zahl *number*

das Himmelreich *heaven, realm of heaven*

Furcht haben vor *be afraid of*

befürchten *fear* die Sintflut (*Biblical*) *flood* die Mittelform *intermediate form*

überall *everywhere*

klug *clever* fein *refined*

schädlich *harmful* die Teufelsgestalt *diabolical figure*

täglich *daily* vielerlei *many kinds of* das Gespenst *ghost*

Der Glaube an Teufelsgestalten quält die Menschen Tag und Nacht. Die Dämonen reiten durch die Luft, sitzen in der Stube, stehen in der Küche, wandern durch die Schlafzimmer in der Nacht und geistern im Keller. Sie erscheinen in Menschen- und in vielerlei Tiergestalt: als Wölfe, Bären, Schweine, Hunde, Pferde, Katzen, Böcke, Affen, Esel, Raben, Ratten, Drachen und auch als Insekten.

Zahllose Abbildungen von diabolischen Gestalten und Höllenvisionen sieht man in der Skulptur und in den Gemälden der Zeit. An Kirchenfassaden bringt man Dämonen in phantasiereichen Formen an. Hieronymus Bosch und Pieter Brueghel der Ältere malen spukhafte Höllenszenen und das groteske Jüngste Gericht. Die Zauber-, Dämonen- und Höllenszenen von Pieter Brueghel dem Jüngeren sind Kopien nach seinem Vater; man nennt *ihn* aber den Höllenbrueghel. Hans Baldung und Johannes Geiler von Keisersperg malen Hexen- und Hexensabbatsszenen, Rembrandt malt einen Magier, den man später Doktor Faust nennt. Ein bestialischer „Antichrist", halb Mensch, halb Dämon, erscheint in einem Gemälde von Lukas Cranach, tierische Teufel, Drachen und Hexen bei Albrecht Dürer. „Ritter, Tod und Teufel" von Dürer wird eines der bekanntesten Stiche des Zeitalters.

Die höllische Atmosphäre der Zeit ersieht man aus den zahlreichen Zauberbüchern sowie aus den Gemälden und Skulpturen der Zeit. Man studiert Magie und Zauberformeln. Es gibt eine fast industrielle Produktion von Teufelsliteratur. Viel gelesen sind die Geschichten und Essays über Formen und Gestalten des Teufels, die 1569 unter dem Titel „Theatrum diabolorum" in Frankfurt erscheinen. Im Paradies, heißt es dort, erscheint der Teufel den ersten Menschen in der Gestalt einer Schlange, später aber in vielerlei Gestalten. Einer der vielen Verfasser des „Theatrum diabolorum" rechnet sich aus, wie viele Teufel, große und kleine, es in der Welt gibt. Im achten Kapitel des Buches steht die Zahl: 2,665,866,746,664. Es gibt,

die Stube *(living) room*
die Küche *kitchen*
geistern in *haunt*
das Tier *animal* die Gestalt *form*
das Pferd *horse* der Bock *ram*
der Esel *donkey* der Rabe *raven* der Drache *dragon*
die Abbildung *picture, image*
das Gemälde *painting*
anbringen *mount* phantasiereich *imaginative*
malen *paint* spukhaft *ghostly, spooky* das Jüngste Gericht *Last Judgment*
der Stich *engraving*
zahlreich *numerous* sowie *as well as*
viel gelesen *widely read* die Geschichte *story*
heißen *be said*
die Schlange *serpent, snake*
der Verfasser *author*
sich ausrechnen *figure out*
das Kapitel *chapter*

Dürer: Ritter, Tod und Teufel (1513)

mit andern Worten *in other words*
-mal *times*

rechnen *figure*
bescheiden *modest*
die Rechnung *calculation*
die Kohorte *cohort*
die Kompagnie *company*
zusammen *altogether*

pythagoreisch *Pythagorean*
die Lehre *teaching*
ursprünglich *originally* der Engel *angel* jüdisch *Jewish*
gewinnen *assume*
das Abendland *Occident*, *Western World*

der Volksglaube *popular belief*
das Gegenstück *counterpart* die himmlische Macht *power of heaven*

der Hexenschuß *lumbago* der Schuß *shot* einen Pakt schließen *make a pact*

besonders *especially* bedeutend *significant* der Mönch *monk*
nachsagen *say of*
der Erzketzer *arch-heretic*

das Geschmeiß *vermin*
der Teufel ist los *hell is loose*
das Märchen *fairy tale*
fördern *promote*

mit andern Worten, tausendmal mehr Teufel als Menschen in der Welt.

Andere Verfasser von Teufelsbüchern rechneten etwas bescheidener. Nach einer symmetrischen Rechnung gibt es sechs Teufelslegionen. In jeder Legion sind 66 Kohorten, in jeder Kohorte 666 Kompagnien und in jeder Kompagnie 6 666 Mann. Das macht zusammen 1,758,064,176 Teufel. Nach einer noch bescheideneren Rechnung gibt es nur 7,405,926 Teufel, nämlich die große Pythagoreische Zahl 1234321 mal sechs.

In der christlichen Lehre war der Teufel ursprünglich ein böser Engel. Erst in der jüdisch-christlichen Welt—noch mehr im Neuen als im Alten Testament—gewinnt der Teufel seine charakteristische Gestalt für das Abendland. In der griechischen Mythologie gab es viele Götter aber keine Teufel. In Indien, Persien und Ägypten gab es zwar Personifikationen des Bösen, aber keinen Teufel als solchen.

Im Volksglauben des christlichen Europa wird der Teufel im Laufe der Zeit immer teuflischer und erscheint als Gegenstück der hellen himmlischen Macht. Alles Böse auf Erden kommt vom Teufel und seinen Geistern. Krankheiten kommen von ihm. Hysterie, Epilepsie, sowie auch Hypochondrie sind des Teufels. Hexenschuß kommt vom Schuß einer Hexe, die mit dem Teufel einen Pakt geschlossen hat.

Zur Zeit der Reformation spielt der Satan eine besonders bedeutende Rolle. Für die protestantische Welt wird der Teufel zum Mönch. Dem Papst sagt man nach, er habe einen Pakt mit dem Teufel geschlossen. Für die katholische Welt wird er zum Lutheraner, zum Erzketzer. Luther sagt man nach, er habe einen Pakt mit dem Teufel geschlossen. Protestanten und Katholiken nennen einander Teufelskinder und Teufelsgeschmeiß. So oder so, der Teufel ist los auf Erden, meinen die gequälten Menschen, für die böse alte Hexen keine Märchenfiguren sind.

Der Glaube an Hexen fördert den Glauben

an den Teufel. 1487 erscheint in Straßburg der sogenannte „Hexenhammer", die juristische Basis für die Hexenverfolgungen der folgenden Jahrhunderte in den Ländern Europas und in Amerika. Die Menschen zitieren die Bibel, 2. Mose, 22, 18: „Die Zauberinnen sollst du nicht leben lassen", und Tausende und aber Tausende von Frauen müssen sterben—weil sie Hexen sind.

Trithemius, der den historischen Faust unsinnig und wahnsinnig nennt, schreibt 1508 in seinem Buch über Hexen:

„Greulich sind die Zauberer, besonders die weiblichen unter ihnen. Durch die Hilfe böser Geister oder durch Zaubertränke bringen sie den Menschen ungeheuren Schaden . . . Die Zahl der Hexen ist überall sehr groß; selbst im kleinsten Ort findet man eine Hexe . . . Menschen und Vieh sterben durch die Schlechtigkeit dieser Weiber, und niemand denkt daran, daß dies von den Hexen kommt. Viele Menschen leiden an den schwersten Krankheiten und wissen nicht, daß sie verhext sind . . . Selten", klagt Trithemius, „ist ein Inquisitor oder Richter, der gegen die Hexen vorgeht."

Im Laufe der Zeit erfüllen die Richter Trithemius' Wunsch. Sie gehen gegen zahllose Frauen vor. Die Hexenverfolgungen werden zur Epidemie.

sogenannt *so-called* der Hexenhammer *witches' hammer* juristisch *legal* die Verfolgung *persecution*
zitieren *quote* 2. Mose *Exodus* die . . . lassen *thou shalt not suffer a witch to live*
aber *upon*
weil *because*
greulich *horrible*
weiblich *feminine*
der Zaubertrank *magic potion*
ungeheuer *enormous* der Schaden *harm* überall *everywhere* selbst *even*
der Ort *place* das Vieh *livestock* die Schlechtigkeit *wickedness* das Weib *woman*
leiden an *suffer from* schwer *severe*
verhext *bewitched* selten *rarely* klagen *complain* der Richter *judge*
vorgehen gegen *proceed against*
erfüllen *fulfill*
der Wunsch *wish*

Ein erschröckliche geschicht/so zu Derneburg in der Graffschafft Reinstein-am Hartz gelegen-von dreyen Zauberin-unnd zwayen Mañen/In etlichen tagen des Monats Octobris Im 1555. Jare ergangen ist.

Hexen, ca. 1495

Der Glaube an Hexen geht Hand in Hand mit dem Glauben an den Teufel, besonders mit dem Glauben an einen Teufelspakt. Seit Jahrhunderten gab es zwar Sagen und Geschichten von Menschen, die mit dem Teufel ein Bündnis geschlossen hatten. Er hatte ja viele versucht. Sogar Jesus hatte er versucht, und Jesus sprach die später oft zitierten Worte: „Heb dich weg von mir, Satan!" Vor dem sechzehnten Jahrhundert hatten die Paktgeschichten meist kein tragisches Ende; denn der reuige Christ konnte noch in der letzten Stunde dem Satan entgehen. Zur Zeit der Reformation h o l t der Teufel aber die Menschen, die ein Bündnis mit ihm geschlossen hatten.

Das sechzehnte Jahrhundert war ein fruchtbarer Boden für das Wachsen der Faustlegende. Das historische Material geht in die Legende über, und um die Gestalt des Zauberers sammeln sich immer mehr Zauber-, Teufels- und Reisegeschichten. An deutschen Universitäten, in Erfurt und in Leipzig, erzählen sich Studenten und Professoren Faustanekdoten. Bürger und Bauern erzählen sich von seinen Zauberkunststücken und von seinem Umgang mit dem Teufel. Von Jahr zu Jahr wächst die Legende.

Einige Jahrzehnte nach dem Tod des historischen Faust sind die Menschen davon überzeugt, daß Faust einen Pakt mit dem Teufel geschlossen hat, wie es im Volksbuch steht. Sie glauben an die Wirklichkeit der bösen Geister und der Zaubereien, die der unbekannte Verfasser des Volks-

die Sage *legend*
das Bündnis *pact, league*
versuchen *tempt* sogar *even*
heb . . . mir *get thee hence*
meist *usually*
reuig *penitent*
entgehen *escape*
fruchtbar *fertile*
der Boden *soil* wachsen *grow*
übergehen *merge with*
sich sammeln *collect*
sich erzählen *tell each other*
der Bauer *peasant*
das Zauberkunststück *conjuring trick* der Umgang *association*
das Jahrzehnt *decade*
überzeugen *convince*
unbekannt *unknown*

buches schildert. Viele Leser meinen ja, selber Dämonen gesehen zu haben.

Jahrhunderte später sprachen Freud und Freudianer von Halluzinationen, kollektiven Halluzinationen, Suggestion, Autosuggestion und Massensuggestion. In seinem Essay über „Eine Teufelsneurose im siebzehnten Jahrhundert" definiert Sigmund Freud Dämonen als „böse Wünsche" und „Projektionen in die äußere Welt." Die Neurosen, meint Freud, erschienen damals, im sechzehnten und siebzehnten Jahrhundert, im Dämonen-Gewand; heute erscheinen sie im „hypochondrischen (Gewand), als organische Krankheiten verkleidet."

Wie dem auch sei, die Faustsage entspringt dem Dämonen- und Teufelsglauben. Außerdem spielt die Astrologie eine nicht kleine Rolle. Schon im ersten Kapitel des Volksbuches steht: Faust beschäftigte sich mit chaldäischen Worten, Figuren und Symbolen. Das Wort Chaldäer gebrauchte man im Sinne von Astrologe; denn im chaldäischen Reich, das Babylonien, Mesopotamien und Syrien umfaßte, begann die Astrologie. Durch die Chaldäer kam sie nach Griechenland und blühte dann später in ganz Europa.

Der moderne Mensch liest die Zeit von einem mechanischen Instrument ab. Bevor es Uhren gab, las der Mensch die Zeit vom Stand der Sonne ab. Von den Sternen las man nicht die Zeit ab, sondern viel Bedeutenderes, nämlich was im Buch des Schicksals steht—und was die letzte Weisheit ist. Von dem einen Menschen meinte man, er sei unter einem glücklichen Stern geboren, von einem anderen, er sei unter keinem glücklichen Stern geboren.

Die Astronomen des sechzehnten Jahrhunderts sind zu gleicher Zeit Astrologen am Hofe der Kaiser, Könige und Fürsten, die an die Sterne glauben und vor ihrem Einfluß Furcht haben.

Es verwundert nicht, daß sich Faust als Kind seines Zeitalters mit der Astrologie beschäftigt, Prophezeiungen macht, Horoskope stellt und zu den Sternen fährt.

schildern *describe*
äußer *external*
damals *at that time*
das Gewand *guise*
verkleidet *masked*
wie dem auch sei *be that as it may*
chaldäisch *Chaldean*
gebrauchen *use*
der Sinn *sense, meaning*
das Reich *empire*
umfassen *comprise*
Griechenland *Greece* blühen *flourish*
ablesen *read (off)*
die Uhr *watch, clock*
der Stand *position*
das Schicksal *fate, destiny* die letzte Weisheit *ultimate wisdom*
glücklich *lucky*
der Hof *court*
der König *king*
verwundern *astonish*

das Moment *motive*

Hauptmomente des Volksbuches

Die Astrologie spielt eine nicht kleine Rolle im Volksbuch von Doktor Johann Faust, aber sie ist kein Hauptmoment.

das Verlangen nach *desire for*

die Macht *power* der Genuß *pleasure* die Vermessenheit *presumptuousness* die Verzweiflung *despair* die Vergebung *forgiveness* 1. Mose *Genesis* die Sünde *sin* werden möge *might be*

Die Hauptmomente sind Fausts Verlangen nach Macht, Luxus und Genuß, seine Vermessenheit, die spätere Verzweiflung, das Nicht-Glauben an Vergebung wie Kain (1. Mose, 4, 13): „Meine Sünde ist größer, denn daß sie mir vergeben werden möge"—und der Wissensdurst. Doktor Faust

Des
Durch die gantze Welt
beruffenen
rtz-Schwartz-Künstlers
und Zauberers
octor Johann
Fausts,
it dem Teufel auffgerichtetes
ündnüß, Abentheurlicher Lebens-
Wandel und mit Schrecken genom-
menes Ende,
Auffs neue übersehen,
In eine beliebte Kürtze zusammen gezogen,
d allen vorsetzlichen Sündern zu
einer hertzlichen Vermahnung und
Warnung
zum Druck befördert
von Einem
Christlich-Meynenden.

Franckfurt und Leipzig,
1725.

Titel- und Bildnisseite der ältesten bekannten Ausgabe des Volksbuches

will wissen, wissen, wissen. Bei der ersten Unterredung mit dem Geist Mephostophiles ist der Wissensdurst das Hauptmotiv. Faust will, daß der Geist ihm alle Fragen beantwortet, daß er ihm alle Fragen richtig beantwortet. Im Laufe der Geschichte von Fausts Leben ist das Motiv des Wissensdurstes aber nicht ausgearbeitet wie bei manchen Dichtern, die später Faustdramen und Faustromane schrieben. Der Faust des Volksbuches ist ein melancholischer Mensch, der wilde Qualen leidet, und kein Übermensch, wie er es später werden sollte. Vierundzwanzig Jahre lang dient ihm der Abgesandte des Teufels. In den letzten Jahren dieser vierundzwanzig leidet er höllische Qualen, denn er weiß: Für diese kurze

die Unterredung *discussion*
beantworten *answer*
richtig *correctly*
ausarbeiten *work out, elaborate*
der Dichter *poet, writer*
der Roman *novel*
wild *fierce*
die Qual *agony* der Übermensch *superman*
dienen *serve*

in alle Ewigkeit *to all eternity*

Zeit der Macht und des Genusses muß er in alle Ewigkeit bezahlen. Das Volksbuch endet mit dem Triumph der Hölle.

sich streiten um *quarrel about*

der Schriftsteller *writer*

die Ketzerei *heresy*

Im neunzehnten Jahrhundert stritt man sich um die religiöse Frage: Ist das Volksbuch das Werk eines katholischen oder eines protestantischen Verfassers? Der Schriftsteller Wolfgang Menzel meinte, es sei das Werk eines katholischen Autors; Faust personifiziere die Ketzerei der Protestanten im sechzehnten Jahrhundert. Der Dichter Heinrich Heine schrieb ironisch, der Teufel hole Faust, „weil er seine Künste produziert auf protestantischem Boden, den die rettende Mutter Gottes nicht betreten darf.“ Andere meinten, das Werk sei weder katholisch noch protestantisch. Wir glauben heute sagen zu können, daß die protestantischen Züge überwiegen. Tatsache ist, der Verfasser des Volksbuches war ein frommer Mensch, der sogar dem diabolischen Mephostophiles zuweilen fromme Worte in den Mund legt.

rettend *redeeming*

betreten *set foot on*

weder . . . noch *neither . . . nor*

der Zug *trait* überwiegen *predominate* die Tatsache *fact* fromm *godly*

zuweilen *sometimes* in den Mund legen *have (someone) say*

Im zwanzigsten Jahrhundert versuchte man sogar, das Volksbuch politisch zu interpretieren. In einer kommunistischen Geschichte der deutschen Literatur, die 1960 erschien, stand, daß der Verfasser des Volksbuches von Doktor Faust ein „Organ der herrschenden Klassen“ gewesen sei.

herrschen *rule*

Tatsache ist: Bis zum heutigen Tag erregt der Fauststoff die Phantasie der Menschen, denn bis zum heutigen Tag verkaufen sich die Menschen für Geld, Macht, Ansehen, Genuß—für das, was Thomas Mann das „extravagante Dasein“ nannte.

bis zu *to* der heutige Tag *present day*

das Ansehen *prestige*

das Dasein *life, existence*

Faust ist einer der großen Stoffe der Weltliteratur. Die erste Gestaltung des Stoffes und die Hauptquelle für die späteren Gestaltungen ist die „Historia von D. Johann Fausten, dem . . . Zauberer und Schwarzkünstler.“

die Gestaltung *giving form to*

die Quelle *source*

=2=

Die Historia von D. Johann Fausten

Mephos tophiles.
Ioan Faustus.
Nigromantia.
Sichem Inuen: sculp: et excudit.

Geburt und Studium

die Geburt *birth*

oktor Faust wurde in Rod bei Weimar als Sohn eines Bauern geboren. Seine Eltern waren gute Christen.

die Eltern *parents*

In Wittenberg wohnte ein reicher Onkel Fausts, der kinderlos war und zu dem Faust ging. Da der Onkel keine Erben hatte, hielt er Faust wie sein eigenes Kind und ließ ihn in die Schule gehen. Faust sollte Theologie studieren.

da *since* der Erbe *heir* halten *keep* eigen *own* ließ ihn gehen *had him go*

Faust lernte aber nicht, was er lernen sollte. Er mißbrauchte das Wort Gottes. Von der Wendung zum Bösen ihres Sohnes wußten jedoch die Eltern in Rod bei Weimar nichts.

mißbrauchen *misuse* die Wendung *turning* böse *evil* jedoch *however*

Es ist gewiß, der Vater und die Mutter freuten sich herzlich, daß ihr Sohn in Wittenberg war und der Onkel ihn wie sein eigenes Kind hielt. Als sie später seine Klugheit und Intelligenz erkannten, trugen sie größte Fürsorge für ihn wie Hiob für seine Kinder. Fromme Eltern haben ja oft gottlose Kinder, wie an den Beispielen von Kain,[1] Ruben[2] und Absalom[3] in der Bibel zu sehen ist.

gewiß *certain* sich herzlich freuen *be very glad*

die Klugheit *cleverness* erkennen *recognize.* Fürsorge tragen für *be anxious about* Hiob *Job* gottlos *godless*

Als es bekannt wurde, daß Faust sich mit Zauberei beschäftigte, warnten ihn seine Eltern und ermahnten ihn, davon abzulassen.

bekannt werden *become known*

Indessen studierte Faust auf der Universität Wittenberg. Da er ein heller Kopf war und sehr schnell lernte, kam er bald so weit, daß er nach Ablegen einer Prüfung Doktor der Theologie wurde. Die Professoren fanden, daß er genug studiert hatte und genug wußte.

ermahnen *admonish* ablassen von *stop, desist* indessen *meanwhile* heller Kopf *bright fellow*

so weit kommen *reach the point*

das Ablegen *taking* die Prüfung *examination*

Faust hatte jedoch einen eitlen, eigensinnigen und egoistischen Kopf, geriet in schlechte Gesellschaft, legte die Heilige Schrift beiseite und führte ein gottloses Leben.

eitel *vain* eigensinnig *stubborn* in schlechte Gesellschaft geraten *get into bad company* die Heilige Schrift *Holy Scriptures* beiseite *aside*

Es ist ein wahres Sprichwort: Was zum Teufel will, das läßt sich nicht aufhalten.

das Sprichwort *saying*

läßt sich nicht aufhalten *can't be stopped*

[1]Kain tötete seinen Bruder Abel.

[2]Ruben = Reuben. Siehe Mose 1,49,3-4.

[3]Absalom tötete seinen Bruder und erhob sich gegen seinen Vater.

töten *kill*

Mose 1 *Genesis*

sich erheben *rebel*

seinesgleichen *people like himself*
kennenlernen *meet*
persisch *Persian*
dienen *serve*
gefallen *please* ausgezeichnet *very much*
nennen lassen *be called*
die Arznei *medicine* das Kraut *herb* ausgezeichnet *excellent* der Redner *talker* genau *precisely*
die Regel *rule*
der Herr *Lord*
zweifach *doubly* bestrafen *punish* der Herr *master* in den Wind schlagen *cast to the four winds*

Faust fand seinesgleichen. Die Menschen, die er kennenlernte, beschäftigten sich mit chaldäischen, persischen, arabischen und griechischen Worten, Figuren und Symbolen, die der Schwarzkunst, Zauberei, Hexerei und Prophezeiung 5 dienten.

Das gefiel alles Doktor Faust ganz ausgezeichnet. Er studierte diese Dinge Tag und Nacht und wollte sich nicht mehr einen Theologen nennen lassen. Er nannte sich Doktor der Medizin 10 und wurde Astrologe, Mathematiker und Arzt.

Doktor Faust half vielen Menschen mit Arzneien, Kräutern und Tränken. Außerdem war er ein ausgezeichneter Redner und kannte genau die Heilige Schrift. 15

Er kannte auch sehr genau die Regel Christi: Wer den Willen des Herrn weiß und tut ihn nicht, der wird zweifach bestraft. Niemand kann zwei Herren dienen. Doch das alles schlug Doktor Faust in den Wind. 20

Faust beschwört den Teufel

der Sinn steht danach (*one*) *hankers after*
trachten nach *hanker after* die Adlerflügel *eagle's wings* die Gründe *first principles* erforschen *explore*
die Beschwörung *incantation* vorwitzig *inquisitive, prying* frech *insolent* fordern *summon*

Doktor Fausts Sinn stand danach, zu lieben, was man nicht lieben soll. Tag und Nacht trachtete er danach. Mit Adlerflügeln wollte er alle Gründe des Himmels und der Erde erforschen. Mit Zauberworten, Figuren, Symbolen 25 und Beschwörungen wollte er, vorwitzig und frech, den Teufel vor sich fordern.

Er ging bei Wittenberg in einen dichten Wald. An einem Kreuzweg zog er mit einem Stab einige Kreise. So beschwor er zwischen neun und zehn Uhr in der Nacht den Teufel.

5 Der Teufel aber lachte in sich hinein. „Ich lasse dich warten", dachte er, „damit ich nicht nur deinen Leib sondern auch deine Seele kriege."

Der Teufel tat so, als ob er sich ungern beschwören ließe. Im Wald entstand ein solcher 10 Tumult, als ob er voller Teufel wäre. Sie tauchten in und neben den Kreisen auf, die Doktor Faust gezogen hatte; dann schien es, als wären lauter Wagen da. Daraufhin schossen von allen Seiten Bolzen und Strahlen auf die Kreise zu, die Faust 15 gezogen hatte. Endlich kam ein lauter Schuß, und er sah ein helles Licht.

Doktor Faust hörte liebliches Spiel von Instrumenten; wunderbare Musik und Gesang ertönte. Auch sah er verschiedene Tänze und 20 Turniere mit Spießen und Schwertern. Dennoch langweilte er sich und begann, noch einmal den Teufel zu beschwören. Diesmal gaukelte ihm der Teufel ein anderes Spiel vor: ein Drache flatterte über den Kreisen, ein feuriger Stern fiel herab und 25 verwandelte sich in eine feurige Kugel. Doktor Faust erschrak, blieb aber fest stehen; denn er war überzeugt, daß ihm der Teufel untertan sei.

Einmal hatte er in einer Gesellschaft großsprecherisch erklärt: „Das höchste Haupt auf 30 Erden ist mir untertan."

Studenten in der Gesellschaft erwiderten ihm: „Wir kennen kein höheres Haupt als den Kaiser oder den Papst."

Doktor Faust aber erklärte: „Das Haupt, 35 das mir untertan ist, ist höher."

Als Faust den Teufel noch einmal beschwor, wuchs aus der Kugel ein Feuerstrom in Gestalt eines Mannes hoch empor und ließ sich wieder herunter. Sechs Lichtlein waren darauf zu sehen. 40 Eines sprang in die Höhe, ein anderes ging herunter, bis sich aus ihnen wieder die Gestalt eines feurigen Mannes bildete. Der umschritt eine Vier-

der Kreuzweg *crossroad* ziehen *draw* der Stab *stick* der Kreis *circle*

in sich hineinlachen *laugh to oneself* warten *wait* damit *so that*

der Leib *body* kriegen *get*

tun als ob *act as though* sich ungern beschwören lassen *not like to be conjured up* entstehen *arise* auftauchen *appear*

scheinen *seem* als *as though* lauter *only* der Wagen *wagon* daraufhin *thereupon* zuschießen auf *shoot toward* der Bolze *bolt* der Strahl *ray*

lieblich *lovely*

ertönen *be heard*

verschieden *different* das Turnier *tournament* der Spieß *spear* das Schwert *sword* sich langweilen *be bored* vorgaukeln *perform (with trickery)*

der Drache *dragon*

herab *down*

sich verwandeln *change* die Kugel *globe*

überzeugt *convinced* untertan *obedient* sei *was*

die Gesellschaft *social gathering* großsprecherisch *boastful* erklären *declare* das höchste Haupt *foremost ruler*

erwidern *answer*

der Papst *pope*

emporwachsen *grow (up)* der Feuerstrom *stream of fire* die Gestalt *form, figure* sich herunterlassen *let oneself down*

in die Höhe *upward*

sich bilden *form*

umschreiten *walk around*

die Viertelstunde *quarter of an hour*

begehren *desire, want*

daheim *at home*

sich weigern *refuse* schließlich *finally* einwilligen *agree*

telstunde lang den Kreis und verwandelte sich dann in die Gestalt eines grauen Mönches.

„Was begehrst du?“ fragte der Mönch Doktor Faust.

„Morgen um Mitternacht sollst du mir daheim erscheinen“, erklärte Doktor Faust. 5

Erst weigerte sich der Geist, doch schließlich willigte er ein.

die Unterredung *conference*

Fausts Unterredung mit dem Geist

nächst *next*

die Stube *room* dieser *the latter*

um . . . zu *in order to*

das Begehren *desire* der Geselle *fellow*

von neuem *anew, again*

vorlegen *put before*

bis zu *until*

jedoch *however*

der Wunsch *wish* erfüllen *fulfill*

der Auftrag *order, instruction*

Am nächsten Tag forderte Faust den Geist in seiner Stube vor sich. Dieser erschien 10 sofort, um zu hören, was Fausts Begehren sei. Es ist ja ein altes Sprichwort: Solche Gesellen müssen doch den Teufel endlich sehen, hier oder dort.

Doktor Faust beschwor den Teufel von 15 neuem und legte dem Geist drei Artikel vor:

Der Geist solle ihm untertan sein, bis zu Fausts Tod.

Er solle ihm alle Fragen beantworten.

Er solle alle Fragen richtig beantworten. 20

Der Geist weigerte sich jedoch und erklärte, nicht die Macht zu haben, diese Wünsche zu erfüllen, solange er nicht von seinem Herrn den Auftrag hierzu bekomme.

„Lieber Faust“, sagte er, „es steht nicht in meiner Macht, dein Begehren zu erfüllen, sondern in der Macht des höllischen Gottes.“

„Du hast die Macht nicht?“ fragte Faust.

5 „Nein“, antwortete der Geist.

„Warum nicht?“ fragte Faust.

„Du sollst wissen“, erklärte ihm der Geist, „daß wir eine Regierungsform haben, wie man auf Erden Regierungsformen hat. Wir haben 10 Herrscher und Diener. Ich bin aber nur ein Diener. Unser Reich nennen wir Legion. Luzifer[1] hat sich selber gestürzt, doch hat er viele Teufel unter seine Herrschaft gebracht. Wir nennen sie die orientalischen Fürsten. Luzifers Macht ist 15 groß. Solange Luzifer seine Herrschaft unter dem Himmel hat, müssen wir uns verwandeln, zu den Menschen gehen und ihnen untertan sein.

„Mit all seiner Kunst könnte sich der Mensch Luzifer nicht untertan machen, wenn dieser ihm 20 nicht einen Geist sendet wie mich. Wir aber haben unsere wirkliche Wohnung und unsere Hierarchie nie verraten, sei es denn den verdammten Menschen nach ihrem Tod.

stehen *be*

erklären *explain*

die Regierung *government*

auf Erden *on earth*

der Herrscher *ruler* der Diener *subordinate, servant* das Reich *empire*

sich selber stürzen *cause one's own fall* die Herrschaft *rule*

verwandeln *be transformed*

die Kunst *ingenuity, art*

dieser *the latter*

die Wohnung *dwelling* die Hierarchie *hierarchy* verraten *reveal* sei es denn *unless* verdammt *damned*

[1]Luzifer. Lateinische Übersetzung des griechischen Wortes Phosphoros = Lichtbringer. Doch später Fürst der Finsternis. Lukas, 10,18: "Ich sah wohl den Satanas vom Himmel fallen als einen Blitz."

der Fürst *prince* die Finsternis *darkness*

Pieter Brueghel: Das jüngste Gericht

entsetzt über *horrified at*
möchte *would like* verdammt werden *be damned*
gehören *belong*
befehlen *order*
verlassen *leave* beschwören *implore* zur Vesperzeit *at vespers* einwilligen *agree*

Doktor Faust war darüber entsetzt: „Um das zu erfahren, möchte ich nicht verdammt werden.“

„Du gehörst dem Teufel, so oder so“, antwortete der Geist.

Da befahl Doktor Faust dem Geist, ihn zu verlassen. Als er aber gehen wollte, beschwor ihn Doktor Faust, zur Vesperzeit noch einmal zu erscheinen. Der Geist willigte ein.

Fausts zweite Unterredung mit dem Geist

fliegen *fly*
das Oberhaupt *master* erhalten *receive* begehren *desire*

Um die Vesperzeit, zwischen drei und vier Uhr, erschien der fliegende Geist wieder. „Ich werde dir untertan sein“, sagte er, „denn ich habe die Macht dazu von meinem Oberhaupt erhalten. Du mußt mir aber darauf Antwort geben und mir auch sagen, was du begehrst.“

das Verderben *perdition*
leibhaftig *true, incarnate*
folgendes *the following*
die Geschicklichkeit *skill, dexterity*

Doktor Faust gab ihm eine Antwort, die seiner Seele Verderben brachte, denn er wünschte, ein leibhaftiger Teufel zu sein.

Folgendes begehrte er vom Geist:

1. Er wolle die Geschicklichkeit, Form und Gestalt eines Geistes haben.

2. Der Geist solle alles tun, was er, Doktor Faust, begehrt.

3. Der Geist solle ihm dienen.

4. Er solle in Fausts Stube erscheinen, so oft er will.

sich sehen lassen *let oneself be seen*
auferlegen *impose*

5. Er solle sich in Fausts Haus von niemand sehen lassen, wenn Faust es so will.

6. Er solle Faust immer in der Gestalt erscheinen, die er ihm auferlegt.

Der Höllenhund

Der Geist antwortete, er wolle gehorsam sein, wenn Faust auch seine Forderungen erfülle.

Die Forderungen des Geistes waren die folgenden:

1. Faust müsse versprechen, des Geistes Eigentum zu sein.
2. Faust müsse es mit seinem Blut bezeugen und unterschreiben.
3. Faust müsse allen christgläubigen Menschen feind sein.
4. Faust müsse dem christlichen Glauben absagen.
5. Faust dürfe sich nicht zum christlichen Glauben bekehren lassen.

Dafür werde ihm der Geist etliche Jahre dienen, doch ihn nachher holen. Wenn Faust die Forderungen des Geistes erfülle, solle er alles haben, was sein Herz begehrt. Auch soll er bald spüren, daß er die Art und Gestalt eines Geistes habe.

Doktor Faust besann sich eine Weile, war aber in seinem Hochmut so verwegen, daß er nicht an das Heil seiner Seele dachte. Er willigte in alle Forderungen des Geistes ein. Faust meinte nämlich, der Teufel wäre nicht so schwarz, wie man ihn malt, und die Hölle nicht so heiß, wie man sagt.

gehorsam *obedient*
die Forderung *demand*
versprechen *promise*
das Eigentum *property*
bezeugen *certify* unterschreiben *sign*
gläubig *believing*
feind *enemy of*
absagen *renounce*
sich bekehren lassen *become converted*
dafür *in return* etliche *a number of* nachher *afterwards*
die Forderung *demand*
spüren *notice, see* die Art *manner*
sich besinnen *reflect*
der Hochmut *arrogance* verwegen *presumptuous, bold* das Heil *salvation*
malen *paint* heiß *hot*

Fausts dritte Unterredung mit dem Geist

Am nächsten Morgen forderte Faust den Geist wieder vor sich. Er solle immer in der Gestalt und Kleidung eines Franziskanermönchs mit einem Glöcklein erscheinen. Mit diesem habe er zwar einige Zeichen zu geben, damit Faust wisse, daß er komme. Er fragte den Geist auch nach seinem Namen, und dieser erklärte: „Ich heiße Mephostophiles.“

fordern *summon*
die Kleidung *dress, clothes*
das Glöcklein *little bell*
das Zeichen *sign*

abfallen *turn away*

der Schöpfer *creator* die Vermessenheit *presumptuousness* steigen *climb*

In dieser Stunde fiel Faust von seinem Gott und Schöpfer ab; aus Hochmut und Vermessenheit sagte er seinem Schöpfer ab. Wer hoch steigen will, fällt tief herab.

schriftlich *in writing* die Urkunde *document* verlangen *demand*

sich finden *be found* elend *miserable* verführen *lead astray*

der Famulus *assistant*

In seiner Vermessenheit gab Faust dem Geist Mephostophiles auch die schriftliche Urkunde, die der Geist verlangt hatte. Sie war ein greuliches Werk und fand sich nach Fausts elendem Tod in seiner Wohnung. Bald darauf verführte Faust auch seinen Famulus und Diener mit seinem teuflischen Werk.

sich einigen *come to terms*

spitz *sharp, pointed* sich aufstechen *puncture* die Ader *vein, artery* wird berichtet *is reported*

O homo fuge (Lat.) *O, human being, flee*

Als sich Faust und der Geist Mephostophiles geeinigt hatten, nahm Faust ein spitzes Messer und stach sich eine Ader auf. Es wird berichtet, daß man in der Hand eine blutige Schrift sehen konnte: „O Homo fuge!"

Faust schreibt mit seinem Blut

der Tiegel *crucible*

die Kohle *coal*

bekennen *confess*

erforschen *explore*

deshalb *therefore* sich verschreiben *sell one's soul*

der Lehrer *teacher*

schalten und walten *do as one likes*

das Gut *material things*

das Heer *host*

zur Bekräftigung *to confirm this*

eigenhändig *with my own handwriting*

Doktor Faust ließ sein Blut in einen Tiegel fließen. Den Tiegel setzte er auf heiße Kohlen und schrieb folgendes:

Ich, Johannes Faust, Doktor, bekenne mit meiner eigenen Hand: Ich wollte die Elemente erforschen, hatte aber die Geschicklichkeit nicht und konnte sie von den Menschen nicht lernen. Deshalb habe ich mich dem Geist verschrieben, der sich Mephostophiles nennt; er ist ein Diener des Höllenfürsten im Orient und hat versprochen, mein Lehrer und mir in allem gehorsam zu sein. Dafür verspreche ich ihm, daß er nach vierundzwanzig Jahren die Macht haben soll, mit mir zu tun, was er will. Mit allem soll er schalten und walten, wie er will: mit Seele und Fleisch, Blut und Gut und das in alle Ewigkeit.

Ich sage allem ab, dem himmlischen Heer und den Menschen. Zur Bekräftigung habe ich diese schriftliche Urkunde eigenhändig mit meinem Blut geschrieben.

Johannes Faust, Doktor

Die Kunst des Teufels

Wieder erschien der Geist und diesmal in der Gestalt eines feurigen Mannes. Feuerströme und Strahlen gingen von ihm aus. Dann folgte ein Murmeln und Tönen, wie wenn Mönche singen. Doch konnte man nicht sagen, was für ein Gesang es war. Doktor Faust gefiel das Gaukelspiel sehr.

Da erscholl ein Tumult von Spießen und Schwertern, als wolle man das Haus im Sturm einnehmen. Daraufhin erschien der Kampf eines Löwen mit einem Drachen; dann wieder rannte ein Stier auf Doktor Faust zu, bevor er verschwand. Ein großer Affe liebkoste ihn und lief wieder davon. Schließlich verhüllten dichte Nebelwolken den ganzen Raum. Als der Nebel verging, lagen vor Faust zwei Säcke; der eine war voller Gold, der andere voller Silber.

Zuletzt hörte Faust liebliches Orgelspiel, dem die Musik von Harfen, Lauten, Geigen und anderen Instrumenten folgte. Doktor Faust dachte, er wäre im Himmel, obwohl er doch beim Teufel war.

Des Teufels Gaukelspiel dauerte eine ganze Stunde. Faust bereute nicht, daß er sich dem Teufel verschrieben hatte, sondern dachte: „Nun habe ich weder Böses noch Greuliches gesehen; nur Lust und Freude habe ich empfunden.“

der Strahl *ray*
das Murmeln *murmuring* das Tönen *sound*
das Gaukelspiel *trickery*
erschallen *resound, be heard*
im Sturm einnehmen *storm*
der Kampf *fight*
der Löwe *lion* zurennen *run towards* verschwinden *disappear*
liebkosen *fondle, caress* davonlaufen *run away* verhüllen *cover* die Nebelwolke *cloud of fog* vergehen *vanish*
zuletzt *finally* die Orgel *organ*
die Harfe *harp* die Laute *lute* die Geige *violin*
dauern *last*
bereuen *regret*
Lust und Freude *joy and delight* empfinden *experience*

die Verwandlung *transformation*
sich unterhalten *be entertained*
weitermachen *continue*
bisher *up to now*
noch ganz anders *in very different ways*
ein Versprechen halten *keep a promise*
die Abschrift *copy*
behalten *keep*

Als der Geist Mephostophiles in Gestalt eines Mönches in die Stube trat, sagte Doktor Faust zu ihm: „Du hast einen wunderbaren Anfang gemacht mit deinen Verwandlungen. Ich habe mich gut unterhalten. Wenn du so weitermachst, gehören mein Herz und meine Seele dir." 5

„Was du bisher gesehen hast, ist gar nichts", antwortete Mephostophiles. „Ich werde dir noch ganz anders dienen. Alles, was du willst, sollst du haben. Doch mußt du dein Versprechen halten." 10

„Hier hast du den Brief", sagte Doktor Faust und gab ihm die Urkunde. Mephostophiles nahm den Brief, wollte aber, daß Faust eine Abschrift davon behalte.

die Weise *manner*

Mephostophiles dient Faust auf seine Weise

der Greuel *horror* begehen *commit* sich abwenden *turn away*
die Heerschar *host*
einrichten *arrange*
bewohnen *live in*
vermachen *leave (by will)*
um so mehr *all the more*
versichern *assure*
geschickt *adept*
neigen *incline*
stets *always*
die Schreibstube *study*
verschlossen *locked*

Als Doktor Faust solchen Greuel beging, 15 wandten sich Gott und die himmlischen Heerscharen ab von ihm. Faust aber richtete sein Leben wie ein Teufel ein.

Er bewohnte das Haus seines Onkels, der es ihm vermacht hatte. Sein Famulus war ein junger 20 Schüler, Christoph Wagner. Auch ihm gefielen die Gaukelspiele des Teufels sehr, um so mehr, als ihm sein Herr versicherte, er werde einen klugen und geschickten Mann aus ihm machen. Wie die Jugend mehr zum Bösen als zum Guten 25 neigt, so war es auch beim Famulus Wagner.

Faust hatte niemand in seinem Haus als Christoph Wagner und den Geist Mephostophiles, der ihm stets in Gestalt eines Mönchs erschien. Faust beschwor ihn in seiner Schreibstube, die 30 immer verschlossen war.

Zu essen und zu trinken hatte Doktor Faust mehr als genug. Wollte er guten Wein haben, so brachte ihn der Geist aus allen Kellern, aus denen er ihn wünschte. Mephostophiles berichtete selbst einmal, er schade dem Kurfürsten, dem Herzog von Bayern und dem Erzbischof von Salzburg in ihren Kellern sehr.

Durch Mephostophiles' Zauberkünste gab es täglich gekochte Speisen. Sobald er nämlich das Fenster aufmachte und den Namen eines Vogels aussprach, flog der Vogel gekocht zum Fenster herein.

Von den benachbarten Herrenhäusern, Fürsten- und Grafen-Höfen, brachte Mephostophiles auch die besten Speisen, alles wahrhaft fürstlich zubereitet. Faust und Wagner waren auch stets stattlich gekleidet. Der Geist mußte die Kleider nachts in Nürnberg, Augsburg und Frankfurt einkaufen—oder stehlen, da die Kaufleute in der Nacht nicht in ihrem Laden zu sitzen pflegen.

Faust trug also gestohlene Kleider und lebte von herrlicher aber gottloser Nahrung. Christus hat ja auch durch Johannes den Teufel einen Dieb und Mörder genannt. Und das ist er.

wollte er *if he wanted to*
berichten *report*
schaden *do harm to* der Kurfürst *Elector* der Herzog *duke* Bayern *Bavaria*
die Zauberkünste (pl.) *magic tricks* die Speise *food*
aufmachen *open*
der Vogel *bird* aussprechen *utter*
benachbart *neighboring* das Herrenhaus *manor* der Graf *count* der Hof *court*
wahrhaft *truly*
fürstlich *princely* zubereiten *prepare, cook* stets *always* stattlich *majestic*
die Kaufleute (pl.) *merchants*
der Laden *store* pflegen *be in the habit of*
herrlich *marvelous* die Nahrung *food* Johannes *John* der Dieb *thief*

Faust will heiraten

heiraten *get married*

Tag und Nacht führte Doktor Faust ein Prasser-Leben. Er glaubte nicht an Gott, Hölle oder Teufel und meinte, die Seele stürbe mit dem Leib.

Er hatte Lust zu heiraten und fragte den Geist, ob er solle. Mephostophiles war aber ein Feind der Ehe, da sie eine Einrichtung Gottes ist.

das Prasser-Leben *gluttonous life*
stürbe *would die* der Leib *body*
Lust haben *be in a mood to*
die Ehe *marriage* die Einrichtung *institution*

„Denk an dein Versprechen!“ sagte der Geist. „Willst du es nicht halten? Du hast doch versprochen, Gott und allen Menschen feind zu sein. Du darfst nicht heiraten, denn du kannst nicht zwei Herren, Gott und dem Teufel, dienen. Wir sind gegen die Ehe, da sie ein Werk des Höchsten ist. Sei vorsichtig deshalb! Heiratest du, würden wir dich in kleine Stücke zerreißen. Bedenke aber selbst, lieber Faust, wieviel Unruhe und Widerwille, wieviel Zorn und Uneinigkeit eine Ehe mit sich bringt!“

„Ich heirate“, sagte Faust, „welche Folgen es auch haben mag.“

Da erhob sich ein Sturmwind gegen sein Haus, als sollte alles zugrunde gehen. Die Türen sprangen aus den Angeln, und das Haus war voller Feuer. Doktor Faust lief die Treppe hinab, doch ein Mann ergriff ihn und warf ihn wieder in die Stube hinein, daß er weder Hände noch Füße regen konnte. Ringsherum loderte Feuer auf, als sollte er verbrennen. Er rief den Geist um Hilfe an und versprach, ganz nach seinem Wunsch zu leben und nicht zu heiraten.

Da erschien ihm der Teufel leibhaftig, so greulich und schrecklich, daß Faust ihn nicht ansehen konnte.

„Was hast du im Sinn“, fragte der Teufel.

„Ich habe mein Versprechen nicht gehalten“, erwiderte Faust, „ich habe es nicht richtig bedacht. Ich bitte um Verzeihung.“

„Gut, bleibe dabei!“ sagte der Satan, „Ich rate dir: bleibe dabei!“

Als der Teufel verschwunden war, erschien der Geist Mephostophiles wieder und sagte zu Faust: „Es gibt viele Frauen in der Welt. Du brauchst nicht zu heiraten.“

vorsichtig *careful* heiratest du *if you marry* zerreißen *tear* bedenken *consider* die Unruhe *unrest*

der Widerwille *disgust* der Zorn *anger* die Uneinigkeit *quarrel*

welche Folgen *whatever consequences*

sich erheben *arise*

zugrunde gehen *break up*

die Angel *hinge*

die Treppe *stairway* hinab *down*

ergreifen *seize* werfen *throw*

regen *move* ringsherum *all around* auflodern *flare up* anrufen *call to*

der Sinn *mind*

erwidern *answer* richtig *properly* um Verzeihung bitten *ask forgiveness* bleibe dabei *don't forget it*

raten *advise*

brauchen *need*

Der zweite Teil der Geschichte von Fausts Abenteuern

Doktor Faust begann, für die Fürsten der nächsten Länder Kalender zu machen. Zu gleicher Zeit wurde er Astronom und Astrolog. Von seinem Geist lernte er vieles über die Astronomie, wie auch über das Wahrsagen. Die Mathematiker lobten alles, was Doktor Faust schrieb. Die Prophezeiungen, die er drucken ließ und die er Fürsten widmete, gingen auch in Erfüllung; denn er richtete sich nach den Wahrsagungen seines Geistes.

Auch lobte man seine Almanache und Kalender, denn er schrieb nichts hinein, was nicht genau stimmte oder in Erfüllung ging. Seine Kalender glichen nicht denen unerfahrener Astrologen. Diese prophezeiten einfach für den Winter kalt und gefroren, Schnee und Eis, für den Sommer warm und heiß, Donner und Gewitter. Doktor Faust aber nannte in seinen Prophezeiungen die genaue Zeit und Stunde, wann ein Ereignis eintraf. Auch warnte er die einzelnen Länder vor gewissen Gefahren: das eine vor Hungersnot, das andere vor Krieg, das dritte vor Seuchen, je nachdem sie wirklich bevorstanden.

nächst *nearest*
Wahrsagen *telling fortunes*
loben *praise*
drucken lassen *have printed*
widmen *dedicate* in Erfüllung gehen *come true*
sich richten nach *be guided by*
stimmen *be correct*
gleichen *be like* unerfahren *inexperienced* einfach *simply*
das Gewitter *thunderstorm*
das Ereignis *event* eintreffen *happen*
die Hungersnot *famine*
die Seuche *epidemic* je nachdem *according as* bevorstehen *be imminent*

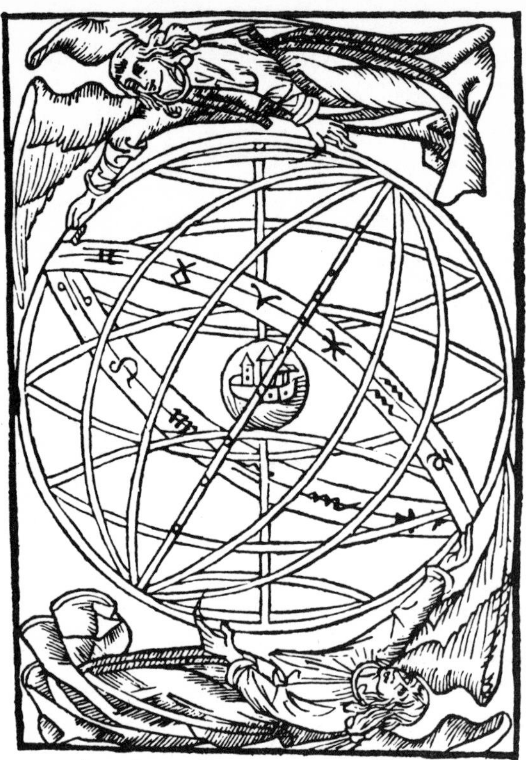

Aus dem „Opus sphaericum", 1500

Die Kunst der Astronomie und Astrologie

Als Doktor Faust seine Wahrsagungen, Almanache und Kalender zwei Jahre lang gemacht hatte, fragte er einmal seinen Geist: „Wie steht es eigentlich mit der Astronomie und Astrologie, wie sie die Mathematiker treiben?" 5

Der Geist Mephostophiles antwortete: „Die Astrologen und Sterngucker können in Wahrheit nichts Bestimmtes vorhersagen. Es handelt sich ja um verborgene Werke Gottes, welche die Menschen überhaupt nicht, sondern welche nur wir Geister ergründen können. 10

„Wir alten Geister haben nämlich viel Erfahrung in des Himmels Lauf. Auch dir, Herr Faust, könnte ich aus der Nativität (= Geburtsstunde und Ort) wahrsagen, Jahr für Jahr, und du hast gesehen, daß ich nie gelogen habe. 15

wie steht es mit *what is the situation in regard to* eigentlich *actually*
treiben *work at*
der Sterngucker *stargazer*
bestimmt *definite* vorhersagen *predict* es handelt sich um *it is a question of* verborgen *concealed*
ergründen *fathom*
die Erfahrung *experience*
lügen *lie*

„In alten Zeiten zwar, vor fünf- oder sechshundert Jahren, verstanden sich die Menschen noch auf die Kunst der Wahrsagung. Aber die jungen, unerfahrenen Astrologen von heute machen ihre Prophezeiungen nur mehr nach Gutdünken."

sich verstehen auf *know something about*

nach Gutdünken *according to some impressions*

Doktor Faust wollte noch vieles wissen, aber nach göttlichen, himmlischen und höllischen Dingen durfte er seinen Geist nicht fragen. Er wußte, daß ihm der Geist kein Gehör schenken würde. Das bereitete ihm aber Kummer, und er dachte Tag und Nacht darüber nach, wie er dennoch etwas über die Schöpfung und über die göttlichen Geschöpfe erfahren könnte. Es galt, einen Vorwand zu finden, unter dem er fragen konnte, daß er Antwort bekam. Er nahm sich deshalb vor, dem Geist die Frage so zu stellen, als gelte ihr Interesse der Astronomie und Astrologie.

Gehör schenken *lend an ear*

Kummer bereiten *cause much grief*

dennoch *nevertheless*

die Schöpfung *creation* das Geschöpf *creature* gelten *be a question of*

der Vorwand *pretext*

gelten *concern*

Er fragte also den Geist: „Was wissen die Astronomen und Astrologen über den Ursprung und die Entwicklung des Himmels?"

die Entwicklung *development*

„Faust, mein Herr", erwiderte der Geist, „Man weiß sehr viel über den Himmel und dessen Ursprung. Der Gott, der dich erschaffen hat, erschuf auch die Welt und alle Elemente unter dem Himmel. Am Anfang schuf Gott den Himmel aus dem Element des Wassers. Er teilte Wasser von Wasser und nannte das Firmament den Himmel.

erschaffen *create*

teilen *separate, divide*

„Die Form des Himmels ist rund, und dadurch wird die Welt in vier Teile geteilt, nämlich Sonnenaufgang, Sonnenuntergang, Mittag und Mitternacht.

der Sonnenaufgang *sunrise, east* der Sonnenuntergang *sunset, west*

„Der oberste Himmel ist durch die Nähe der Sonne warm und strahlend hell. Jener Teil aber, den dieser Glanz nicht erreicht, ist kalt und dunkel. In jenem Dunkel hausen wir Geister und Teufel; dahin sind wir verstoßen."

oberst *highest* die Nähe *nearness*

strahlend *radiantly*

der Glanz *brightness*

hausen *live*

verstoßen *banish*

Die Schöpfung und die Geburt des ersten Menschen

die Schöpfung *creation*

schwermütig *melancholy*
trösten *comfort*
der Kummer *worry*
dringen in *urge*
heftig *violently*
das Anliegen *request* wann immer *whenever*
in Dienst treten *enter service*
teuer . . . kommt *is expensive, has bad consequences* erreichen *attain* zu Willen sein *do as someone wishes* sich gehören *be right and proper*
noch niemals *not ever* abschlagen *refuse*
Rede stehen *give an answer*

sich weigern *refuse*
unsterblich *immortal*
das Geschlecht *race*
sich bilden *form*
sich scheiden *separate, divide*
letztlich *finally*

Als Doktor Faust einmal traurig und schwermütig in seiner Stube saß, erschien ihm der Geist, tröstete ihn und fragte ihn, welchen Kummer und welche Wünsche er hätte. Als ihm Faust keine Antwort gab, drang der Geist immer heftiger in ihn und bat ihn, doch zu sagen, was für ein Anliegen er habe. Wann immer er könnte, wollte er Doktor Faust helfen.

„Du bist in meinen Dienst getreten", sagte der Doktor schließlich. „Obwohl mich dein Dienst teuer zu stehen kommt, kann ich es aber nicht erreichen, daß du mir in allem zu Willen bist, wie es sich für einen Diener gehört."

„Faust, mein Herr", sprach der Geist, „du weißt doch, daß ich dir noch niemals etwas abgeschlagen habe. Ja, selbst auf Fragen, auf die ich dir keine Antwort schuldig war, habe ich Rede gestanden. So sag mir, was du heute begehrst!"

„Ich möchte gerne wissen", sagte Doktor Faust, „wie Gott die Welt erschaffen hat. Erzähle mir von der Geburt des ersten Menschen!"

Mephostophiles weigerte sich nicht, die Frage zu beantworten, obgleich es eine Frage über göttliche Dinge war. Er gab Doktor Faust aber einen gottlosen und falschen Bericht.

„Mein Faust", sagte er, „die Welt ist nicht erschaffen worden; sie ist ohne Ende und unsterblich. Das menschliche Geschlecht ist seit aller Ewigkeit hier und hat weder Anfang noch Ursprung gehabt. Auch die Erde hat sich selbst gebildet, und das Meer hat sich von selbst von der Erde geschieden.

„Die Erde und das Meer gaben Gott das Recht, den Menschen und den Himmel zu erschaffen, so daß sie letztlich Gott untertan sind. Aus dieser Ordnung entsprangen die vier Mächte: Luft, Feuer, Wasser, Erde. Anders und kürzer kann ich es dir nicht berichten."

Doktor Faust dachte lange über diesen Bericht nach, aber es wollte ihm nicht recht in den Kopf. Denn im ersten Kapitel der Bibel, im „Ersten Buch Mose“ stand es ganz anders.

es . . . Kopf *he couldn't really understand it*

das Erste Buch Mose *Genesis*

Aus dem 1. Buch Mose

Martin Luthers deutsche Übersetzung der Bibel ist die bedeutendste Übersetzung überhaupt in der Geschichte der deutschen Sprache. Luther übersetzte das Alte und das Neue Testament zu

Lebzeiten Fausts. Es folgen einige Auszüge aus dem ersten Kapitel im „Ersten Buch Mose.“ Es ist sprachlich interessant, die Übersetzung Luthers und die englische Übersetzung in der King James Bibel zu vergleichen.

der Auszug *excerpt*

sprachlich *linguistically*

vergleichen *compare*

Illustrationen zum Neuen Testament, 1526

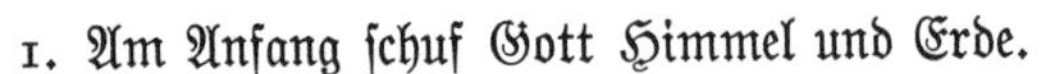

1. Am Anfang schuf Gott Himmel und Erde.

2. Und die Erde war wüst und leer, und es war finster auf der Tiefe; und der Geist Gottes schwebte auf dem Wasser.

3. Und Gott sprach: Es werde Licht. Und es ward Licht.

4. Und Gott sah, daß das Licht gut war. Da schied Gott das Licht von der Finsternis.

5. Und nannte das Licht Tag, und die Finsternis Nacht. Da ward aus Abend und Morgen der erste Tag.

6. Und Gott sprach: Es werde eine Feste zwischen den Wassern, und die sei ein Unterschied zwischen den Wassern.

7. Da machte Gott die Feste, und schied das Wasser unter der Feste von Wasser über der Feste. Und es geschah also.

8. Und Gott nannte die Feste Himmel. Da ward aus Abend und Morgen der andre Tag.

9. Und Gott sprach: Es sammle sich das Wasser unter dem Himmel an besondere Örter, daß man das Trockne sehe. Und es geschah also.

10. Und Gott nannte das Trockne Erde, und die Sammlung der Wasser nannte er Meer. Und Gott sah, daß es gut war.

. . .

26. Und Gott sprach: Laßt uns Menschen machen, ein Bild, das uns gleich sei, die da herrschen über die Fische im Meer und über die Vögel unter dem Himmel und über das Vieh und über die ganze Erde und über alles Gewürm, das auf Erden kreucht.

27. Und Gott schuf den Menschen ihm zum Bilde, zum Bilde Gottes schuf er ihn; und schuf sie einen Mann und ein Weib.

28. Und Gott segnete sie und sprach zu ihnen: Seid fruchtbar und mehret euch, und füllet die Erde, und macht sie euch untertan, und herrschet über Fische im Meer und über Vögel unter dem Himmel und über alles Tier, das auf Erden kreucht.

Das Erst Buch Mose.

I.

IM anfang schuff Gott himel vnd erden/ Vnd die erde war wüst vnd leer/ vnd es war finster auff der tieffe/ vnd der Geist Gottes schwebet auff dem wasser.

Vnd Gott sprach/ Es werde liecht/ Vnd es ward liecht/ vnd Gott sahe das liecht fur gut an/ Da scheidet Gott das liecht vom finsternis/ vnd nennet das liecht/ Tag/ vnd die finsternis/ Nacht/ Da ward aus abend vnd morgen der erste tag.

Vnd Gott sprach/ Es werde eine feste zwisschen den wassern/ vnd die sey ein vnterscheid zwisschen den wassern/ Da macht Gott die Feste/ vnd scheidet das wasser hunden/ von dem wasser droben an der Festen/ Vnd es geschach also/ Vnd Gott nennet die Festen/ Himel/ Da ward aus abend vnd morgen der ander tag.

Vnd Gott sprach/ Es samle sich das wasser vnter dem himel/ an sondere örter/ das man das trocken sehe/ vnd es geschach also/ Vnd Gott nennet das trocken/ Erde/ vnd die samlung der wasser nennet er/ Meere/ Vnd Gott sahe es fur gut an.

Vnd Gott sprach/ Es lasse die erde auff gehen gras vnd kraut/ das sich besame / vnd fruchtbare beume/ da ein iglicher nach seiner art frucht trage/ vnd habe seinen eigen samen bey im selbs/ auff erden/ Vnd es geschach also/ Vnd die erde lies auff gehen/ gras vnd kraut/ das sich besamet/ ein iglichs nach seiner art/ vnd beume die da frucht trugen/ vnd iren eigen samen bey sich selbs hatten/ ein iglicher nach seiner art/ Vnd Gott sahe es fur gut an/ Da ward aus abend vnd morgen der dritte tag.

Vnd Gott sprach/ Es werden Liechter an der Feste des Himels/ vnd scheiden tag vnd nacht / vnd geben/ zeichen/ monden/ tage vnd jare/ vnd seien liecher an der Festen des himels/ das sie scheinen auff erden/ Vnd es geschach also/ Vnd Gott macht zwey grosse liechter/ Ein gros liecht/ das den tag regire/ vnd ein klein liecht/ das die nacht regire/ dazu auch sternen/ Vnd Gott setzt sie an die Feste des himels / das sie schienen auff die erde/ vnd den tag vnd die nacht regirten/ vnd scheideten liecht vnd finsternis/ Vnd Gott sahe es fur gut an/ Da ward aus abend vnd morgen der vierde tag.

Vnd Gott sprach/ Es errege sich das wasser mit webenden vnd lebendigen thiern/ vnd mit geuogel das auff erden vnter der Feste des hi

Faust fährt zu den Sternen

Die Geschichte von Doktor Fausts Fahrt zu den Sternen hat man nach seinem Tod gefunden. Der Bericht ist in seiner eigenen Handschrift erhalten und zwar in Form eines Briefes, den er an einen Arzt und alten Schulfreund, Jonas Viktor, in Leipzig geschrieben hatte. 5

„Sehr lieber Herr und Bruder", so begann Doktor Faust den Brief, „ich kann mich noch erinnern—und Ihr vielleicht auch—als wir in unserer Jugend in Wittenberg gemeinsam studierten. Ihr habt Medizin, Astronomie, Astrologie und Geometrie studiert und seid ja auch ein guter Arzt geworden. 10

„Obwohl ich damals Theologie studierte, bin ich Euch in der Kunst der Astronomie und Astrologie später dennoch gleich geworden. Ihr habt mich in der letzten Zeit ja selber in etlichen Sachen um Rat gefragt. Ich habe mich auch nie geweigert zu antworten, wie Ihr auch schreibt. 15

„Ich möchte auch für Euer Lob danken. In der Tat sind meine astrologischen Schriften nicht nur von Privatpersonen, sondern auch von Fürsten und Grafen gesucht, da alles stimmt, was ich schreibe. 20

„In Eurem Brief habt Ihr mich auch um einen Bericht über meine Fahrt zu den Sternen gebeten. Ihr wolltet wissen, ob ich wirklich eine solche Fahrt gemacht habe. Es schien Euch un- 25

erhalten *preserve*
sich erinnern *remember*
gemeinsam *together*
Euch gleich werden *become your equal*
in der letzten Zeit *recently*
der Rat *advice*
das Lob *praise* in der Tat *indeed*
der Graf *count* stimmen *be true*
eine solche *such a*

möglich, es sei denn, es wäre durch den Teufel oder durch Zauberei geschehen. Wie dem auch sei, es ist geschehen und zwar so, wie ich Euch berichten werde.

5 „Eines Nachts konnte ich nicht schlafen. Ich dachte an meine Kalender und Wahrsagungen. Auch dachte ich darüber nach, wie das Firmament beschaffen sein müsse, daß die Astrologen Prophezeiungen daraus ablesen konnten. Dabei 10 hatten sie ja keine tatsächlichen Kenntnisse der Sterne; sie sagten dies und jenes nach Gutdünken oder nach Büchern, die sie gelesen hatten.

„Da hörte ich ein starkes Brausen im Haus und eine Stimme rufen: ‚Deine Wünsche sollen 15 erfüllt werden. Du wirst sehen, was du begehrst!‘

„Darauf sagte ich: ‚Wenn ich das sehen kann, was ich soeben dachte und was mein größter Wunsch ist, so möchte ich zu den Sternen und Planeten fahren.‘

20 „ ‚Schau zum Fenster hinaus‘, antwortete die Stimme, ‚und du wirst einen Wagen sehen.‘

„Ich schaute hinaus, sah einen Wagen herabfliegen und hörte die Stimme rufen: ‚Steig ein!‘

„ ‚Ich will dir folgen‘, sagte ich, ‚doch muß 25 ich nach allem fragen dürfen.‘

„ ‚Ja‘, antwortete die Stimme, ‚diesmal ist es dir erlaubt.‘

„Ich stieg aus dem Fenster und schwang mich auf den Wagen, der sich sofort in die Lüfte erhob. 30 Je höher wir kamen, desto finsterer wurde die Welt. Mir war, als ob ich von einem hellen, sonnigen Tag in ein finsteres Loch führe. Während es immer weiter in die Höhe ging, kam mein Geist und Diener und setzte sich zu mir in den Wagen.

35 „Sehr vieles habe ich gesehen während der langen Fahrt, die an einem Dienstag begann und wieder an einem Dienstag acht Tage später endete. Während der ganzen Fahrt habe ich kein Auge zugetan. Ich hatte auch gar keine Lust zu schlafen 40 und fühlte weder Hunger noch Durst.

„Als ich am ersten Tage unserer Fahrt auf die Erde hinabblickte, konnte ich viele Länder und

unmöglich *impossible* es sei denn *unless*

wie dem auch sei *be that as it may*

beschaffen *constituted*

dabei *at the same time*

tatsächlich *real, factual* die Kenntnisse *information* nach Gutdünken *according to impressions*

das Brausen *roaring*

die Stimme *voice*

soeben *just now*

schau . . . hinaus *look out of the window*

sich schwingen auf *jump in*

sich erheben *rise up*

je . . . desto *the . . . the*

das Loch *hole*

in die Höhe *upward*

kein Auge zutun *not sleep a wink*

Lust haben *feel like*

hinabblicken *look down*

sich bewegen *move about*
klein wirken *seem small*

kaum *scarcely* die Spanne *span, nine inches*

der Boden *bottom* das Faß *barrel*

überhaupt *at all*
empfangen *receive*

überhaupt *in general*

beim Herabfahren *while coming down*
das Dotter *yolk* das Ei *egg*

daran gehen *start to work*

die Einsicht *insight* die Erfahrung *experience*
einrichten *organize*

der Gruß *regard*

der Gestirnseher *stargazer*

Meere sehen: Europa, Asien, Afrika. Vor Konstantinopel bewegten sich viele Schiffe auf dem Meer, aber die ganze Stadt wirkte aus der Höhe so klein, als stünden kaum drei Häuser da, und die Menschen waren kaum eine Spanne lang. 5

„Auf Erden schien es mir, die Sonne sei so groß wie der Boden eines Fasses. Tatsächlich ist sie aber größer als die ganze Erde. Ich konnte überhaupt kein Ende von ihr sehen. Wenn die Sonne aber am Abend untergeht, dann empfängt 10 der Mond das Licht und scheint hell am Himmel. Wie es auch am Himmel Tag ist, wenn es auf Erden Nacht ist.

„Ich sah überhaupt mehr, als ich begehrte. Einer der Sterne ist so groß wie die halbe Erde, 15 ein Planet so groß wie die ganze Erde. Wo Luft ist, da schweben Geister unter dem Himmel.

„Beim Herabfahren sah ich auf die Erde, die aussah wie das Dotter im Ei. Es schien mir, als ob sie nicht eine Spanne lang wäre und zweimal so 20 viel Wasser hätte als Land.

„Am achten Tag kam ich wieder nach Hause und schlief drei Tag nacheinander. Dann ging ich daran, meine Kalender und Prophezeiungen nach den Einsichten und Erfahrungen dieser Fahrt 25 einzurichten.

„Dies alles habe ich Euch auf Euer Begehren hin berichtet.

Mit freundlichen Grüßen
Doktor Faust 30
der Gestirnseher

Fausts Reisen in etliche Königreiche, Länder und Städte

das Königreich *kingdom*

Im sechzehnten Jahr des Teufelspaktes nahm sich Doktor Faust vor, eine längere Reise zu machen und befahl seinem Geist, ihn zu führen, wohin er begehrte. Mephostophiles
5 verwandelte sich daraufhin in ein geflügeltes Pferd und trug Doktor Faust dahin, wohin er es lenkte.

sich vornehmen *decide* eine Reise machen *take a trip*

geflügelt *winged*

lenken *steer*

Er ritt auf seinem Flügelpferd nach Trier, einer Stadt, die er wegen ihres altertümlichen Aussehens schon lange sehen wollte. Er besuchte dort
10 die Kirchen der Stadt und einen wunderbaren Palast. Von Trier kam er nach Mainz, wo der Main in den Rhein fließt. Von Mainz ging er nach Italien, bevor er Deutschland wieder bereiste.

bereisen *travel in*

Die erste Stadt, die er in Italien besuchte, war
15 Neapel, dessen zahlreiche Kirchen und prachtvolle Häuser er besichtigte. Besonders gut schmeckte ihm der Wein, der in den Weingärten auf dem Berge Vesuv wuchs.

Neapel *Naples* prachtvoll *magnificent* besichtigen *view*

der Weingarten *vineyard*

Von Neapel ging er nach Venedig und staunte
20 darüber, daß ringsherum das Meer lag und die Häuser mitten im Wasser standen.

staunen über *be amazed at*

ringsherum *all around*

Von Venedig reiste er nach Padua mit seiner Hochschule, seinen Kirchen und seinem Rathaus, das das schönste auf der Welt ist. Von den Kirchen
25 war es die St. Antonius-Kirche, die er besonders

die Hochschule *university* das Rathaus *town hall*

Rom im 16. Jahrhundert

bewundern *admire*

der Petersdom *St. Peter's Cathedral* heidnisch *pagan* unsichtbar *invisible* gelangen *come* der Papst *pope*

zubringen *spend*

das Silbergeschirr *silver*

Köln *Cologne*

bestatten *inter, bury*

Karl der Große *Charlemagne*

bewunderte. Schließlich kam er nach Rom. Hier besichtigte er die sieben Berge der Stadt, den Vatikan, den Petersdom und viele heidnische Tempel. Unsichtbar gelangte er auch zum Palast des Papstes, wo er mit Hilfe seiner Zauberei drei Tage unsichtbar zubringen konnte. Er aß und trank viel Gutes und nahm auch Silbergeschirr des Papstes mit, das nach Fausts Tod in seiner Wohnung gefunden wurde.

Als er wieder in Deutschland war, fuhr er nach Köln mit seinem Dom und dem Grab der drei Könige, die dem Stern Christi gefolgt waren und die hier bestattet sind.

Von Köln fuhr er nach Aachen, wo der Königsstuhl Karls des Großen steht. An weiteren Städten besuchte Faust noch Straßburg, Basel, Konstanz, Ulm, Würzburg, Augsburg, Regensburg, Nürnberg, München und Salzburg.

In Basel[1] erzählte ihm sein Geist, der Name komme von den Basilisken, die dort wohnen. In Konstanz gefiel Faust die schöne Brücke, in Ulm der herrliche Dom, in Würzburg der starke Wein. Mephostophiles erklärte ihm in Nürnberg,[2] daß man die Stadt nach Kaiser Nero benannt hätte. Faust sah dort die bekannten Kirchen St. Sebaldus und St. Lorenz sowie den Schönen Brunnen. In München wanderte er in den schönen breiten Straßen herum, und in der Gegend von Salzburg genoß er den Anblick der Seen und Berge.

Von Salzburg fuhr er nach Wien. Als er die Stadt von ferne sah, berichtete ihm der Geist, daß man eine ältere Stadt so bald nicht finden könnte. Wien hat einen großen, weiten Graben, hohe Mauern, weite Keller und Straßen, die mit harten Steinen gepflastert sind. Die Häuser haben schöne Stuben, und es gibt so viel Wein in Wien, daß man zur Zeit der Weinlese 1200 Pferde braucht.

Von Wien reiste Doktor Faust nach Konstantinopel, wo der türkische Kaiser seinen Hof hatte. Eines Abends saß Doktor Faust bei dem Kaiser zum Abendessen und führte ihm allerlei

der Basilisk *basilisk, dragon*
die Brücke *bridge*
der Brunnen *fountain*
die Gegend *area*
der Anblick *view*
Wien *Vienna*
von ferne *from afar*
der Graben *moat*
die Mauer *wall*   der Keller *cellar*
pflastern *pave*
die Weinlese *vintage, gathering of grapes*
der Hof *court*
vorführen *perform*

[1]Basel hieß ursprünglich Basilia, „kaiserliche Residenz" nicht Basiliscus, „Drache."
[2]Der Ursprung des Namens Nürnberg ist ungewiß.

Nürnberg am Ende des 16. Jahrhunderts

durchfließen *flow through*
der Saal *hall* donnern *thunder*
aufstehen *get up*
verzaubern *put a spell on*

sei gegrüßt *greetings to you*
würdigen *esteem, value*

anrufen *hail* preisen *praise*
auszeichnen *distinguish* indem *in that*

annehmen *assume*

guten Mutes sein *be very cheerful*
die Tracht *dress* der Schmuck *finery* in die Höhe fahren *soar into the air*
fort *gone*

umgeben *surround*

einreden auf *urge*

das Gespenst *ghost*

Ungarn *Hungary*
anderthalb *one and a half*

beschreiben *describe*

Gaukelspiele vor; große Feuerströme durchflossen den Saal, und es begann zu donnern und blitzen.

Der Kaiser wollte aufstehen, konnte aber nicht, denn Doktor Faust hatte ihn verzaubert. Der Saal wurde hell, als schiene die Sonne. Gleich- 5 zeitig erschien Fausts Geist Mephostophiles und sprach zu dem mohammedanischen Kaiser: „Sei gegrüßt, Kaiser, den ich so würdige, daß ich, Mohammed selbst, dir erscheine!“ Nach diesen kurzen Worten verschwand er. Der Kaiser fiel auf 10 die Knie, rief Mohammed an und pries ihn, daß er ihn so ausgezeichnet hatte, indem er ihm erschien.

Am nächsten Morgen fuhr Doktor Faust in des Kaisers Schloß, wo seine Frauen wohnten. Er 15 verzauberte das Schloß und zwar mit einem so dicken Nebel, daß man nichts sehen konnte. Doktor Faust nahm dieselbe Gestalt an, wie sie sein Geist zuvor angenommen hatte und sagte, daß er Mohammed sei. Sechs Tage lang war der 20 Nebel im Schloß und sechs Tage lang wohnte Faust dort. Er aß, trank, war guten Mutes und fuhr nach sechs Tagen in Tracht und Schmuck eines Papstes in die Höhe.

Als Doktor Faust fort und der Nebel ver- 25 schwunden war, fragte der Kaiser die Frauen, wer in dem Schloß gewesen sei, als es so lange von Nebel umgeben war. Sie berichteten ihm, der Prophet Mohammed wäre dagewesen, habe sie alle besucht, doch hätten sie seine Sprache nicht 30 verstehen können.

Die Priester redeten auf den Kaiser ein, er solle nicht glauben, der Prophet Mohammed wäre wirklich dagewesen. Es könnte nur ein Gespenst gewesen sein. Der Kaiser dachte lange darüber 35 nach, und es kamen ihm viele Zweifel.

Indessen fuhr Doktor Faust über Ägypten und Ungarn nach Deutschland zurück. Nach anderthalb Jahren war er wieder zu Hause in Wittenberg. Er hatte in der Welt so vieles gesehen, 40 daß er unmöglich alles beschreiben konnte.

Der dritte Teil von Fausts Abenteuern

Was er durch seine Zauberei an vielen Orten getan und bewirkt hat sowie sein schreckliches Ende

bewirken *bring about* sowie *as well as*

Doktor Faust und Kaiser Karl V.

Als Kaiser Karl V. mit seinem Hof nach Innsbruck gekommen war, ging auch Doktor Faust dahin. Viele Vertreter des Hofadels, die von seiner Kunst wußten und be-
5 sonders jene, die er durch Rezepte und Arzneien geholfen und deren Krankheit er geheilt hatte, luden ihn zum Essen bei Hof ein.

Als Kaiser Karl Faust mit den Vertretern des Hofadels sah, fragte er, wer denn dies sei. Als
10 man ihm erklärte, es wäre der Doktor Faust, beorderte der Kaiser Faust in sein Gemach. Er sagte, daß er sehr wohl wisse, daß Faust in der schwarzen Kunst erfahren wäre. Er verlangte, Faust solle eine Probe von dieser Kunst liefern;
15 der Kaiser versprach bei seiner kaiserlichen Krone, daß ihm nichts geschehen würde.

„Höre“, sagte der Kaiser, „ich habe einige Zeit darüber nachgedacht, wie meine Vorfahren

der Vertreter *representative*
der Adel *nobility*
einladen *invite*
beordern *order* das Gemach *apartment, suite*
erfahren *experience*
eine Probe liefern *give a demonstration* die Krone *crown*
der Vorfahr *ancestor*

die Würde *rank* emporsteigen *rise*
der Nachkomme *descendant*

die Leuchte *shining light* der Herrscher *ruler*

besitzen *possess*
schwer fallen *be difficult* je *ever*

die Gemahlin *spouse*

allergnädigst *most gracious*

sofern *as far as*
vermögen *be able to*
sterblich *mortal*
auferstehen von den Toten *rise from the dead*

sich besprechen *confer*

noch *nor*

herein *in*

die Backe *cheek*
streng *severe* der Blick *glance*

an Macht und Würde so emporstiegen, daß ich und meine Nachkommen kaum folgen können. Besonders aber dachte ich an Kaiser Alexander den Großen, jene Leuchte aller Herrscher. Chroniken berichten, er habe so viel Macht und Reichtum besessen, daß es mir und meinen Nachkommen schwer fallen wird, dies je zu erreichen. Deshalb möchte ich die Gestalt Kaiser Alexanders des Großen und die seiner Gemahlin sehen. Wenn du diese Gestalten beschwören kannst, wie sie im Leben gewesen sind, dann sehe ich, daß du ein Meister deiner Kunst bist."

„Allergnädigster Herr", sagte Doktor Faust, „Kaiser Alexander und seine Gemahlin will ich gerne erscheinen lassen, sofern ich es durch meinen Geist vermag. Jedoch soll Eure Majestät wissen, daß dabei nicht ihre sterblichen Leiber von den Toten auferstehen. Das ist unmöglich. Aber die alten Geister, die Kaiser Alexander und seine Gemahlin noch gesehen haben, können ihre Gestalt annehmen und so erscheinen. Durch sie will ich Eure Majestät Alexander den Großen sehen lassen, wenn Ihr es wünscht."

Darauf verließ Faust des Kaisers Gemach, um sich mit seinem Geist zu besprechen. Als er wieder zurückkehrte, erklärte er, daß er Alexander den Großen und seine Gemahlin könne erscheinen lassen; doch dürfe ihn Kaiser Karl nichts fragen, noch dürfe er während der Erscheinung sprechen. Als der Kaiser dies versprochen hatte, öffnete Doktor Faust die Tür. Herein trat Alexander der Große, genau so, wie er zu Lebzeiten ausgesehen hatte. Er war ein ernstes, dickes Männlein mit einem dicken roten Bart, roten Backen und einem strengen Blick, als ob er Basiliskenaugen hatte.

Holzschnitt aus dem Buch der Geschichte des großen Alexander, 1470-1480

Kaiser Karl V.

Er war in vollem Harnisch und verneigte sich vor Kaiser Karl. Der Kaiser wollte aufstehen und ihn empfangen, doch Faust gestattete es nicht. Alexander verneigte sich zum zweiten Mal und schritt wieder zur Tür hinaus. Sofort darauf trat seine Gemahlin ein und auch sie verneigte sich vor Kaiser Karl. Sie war ganz in blauem Samt gekleidet, war mit Gold und Perlen geschmückt und von außerordentlicher Schönheit. Sie war schlank und hatte ein Gesicht wie Milch und Blut. Der Kaiser dachte: Nun habe ich zwei Personen gesehen, die ich schon lange sehen wollte. Sind sie es wirklich, oder hat mich der Geist betrogen? Doch ich will mich überzeugen. Ich habe oft gehört, daß die Gemahlin Alexanders im Nacken eine große Warze gehabt hat.

Kaiser Karl stand auf und ging zu der Erscheinung, um zu prüfen, ob sie dieses Merkmal trüge. Er fand im Nacken der Gestalt tatsächlich die Warze. Daraufhin verschwand die Gemahlin Alexanders des Großen wieder. Die Wünsche Kaiser Karls V. aber waren erfüllt.

der Harnisch (*suit of*) *armor* sich verneigen *bow*

empfangen *receive* gestatten *permit* hinausschreiten *step out*

der Samt *velvet* kleiden *dress*

schmücken *adorn*

schlank *slender*

betrügen *deceive, cheat*

sich überzeugen *see for oneself*

der Nacken *neck*

die Warze *wart*

prüfen *check* ein Merkmal tragen *have a mark*

Doktor Faust fährt in den Keller des Erzbischofs von Salzburg

die Fastnacht *carnival*
vorsetzen *serve*
überreden *persuade*
schwer fallen *be difficult*
die Leiter *ladder*
die Sprosse *rung*
gelangen (in) *reach*
einlagern *store*
dabei sein *be in the middle of*
entdecken *discover* der Kellermeister *wine steward* der Dieb *thief* ärgern *annoy*
der Tannenbaum *fir tree*
die Angst *fear*
zum Abschied *before saying good-bye*
die Flasche *bottle* abfüllen *draw off*

Als es kurz vor Fastnacht war, wollte Faust die Rolle des Weingottes Bacchus spielen. Er lud einige Studenten ein, setzte ihnen gute Speisen vor und überredete sie, mit ihm in einen Keller zu fahren und feine Weine zu versuchen. Die Überredung fiel nicht schwer, worauf Faust aus seinem Garten eine Leiter holte, auf jede Sprosse einen der Studenten setzte und mit ihnen davonfuhr. 5

In derselben Nacht gelangten sie in den Keller des Erzbischofs von Salzburg, der die herrlichsten Weine eingelagert hatte. Als sie eben dabei waren, einen Wein nach dem andern zu versuchen, entdeckte sie des Erzbischofs Kellermeister und schrie: „Diebe!" Das ärgerte Doktor Faust so sehr, daß er den Kellermeister bei den Haaren nahm und mit ihm davonfuhr. Als sie zu einem mächtigen Tannenbaum kamen, setzte er den Kellermeister, der in größter Angst war, darauf. Dann kehrte Faust mit den Studenten wieder nach Hause zurück, um zum Abschied den Wein zu trinken, den er im Keller des Bischofs in Flaschen abgefüllt hatte. 10 15 20

Der Kellermeister hatte sich die ganze Nacht auf dem Baum festhalten müssen, um nicht herabzufallen. Als es Tag wurde, sah er, wie hoch der Tannenbaum war und daß er unmöglich herab-
5 steigen konnte, denn der Baum hatte weiter unten keine Äste. Er rief einige Bauern, die vorüberfuhren, um Hilfe an. Die Bauern wunderten sich sehr und zeigten den Vorfall in Salzburg bei Hofe an. Da kamen viele Menschen, die ihn mit großer
10 Mühe und Arbeit und mit Hilfe von Stricken aus seiner Lage befreiten und wieder auf den festen Boden brachten. Der Kellermeister konnte aber nicht aussagen, wer es gewesen, den er im Keller überrascht hatte, noch wer es gewesen, der ihn
15 auf den Baum abgesetzt hatte.

sich festhalten *hold on*

weiter unten *further below*
der Ast *branch* anrufen *call (to)*
vorüberfahren *ride by*

anzeigen *report* der Vorfall *incident*

die Mühe *effort* der Strick *rope*
die Lage *plight*

aussagen *state*
überraschen *surprise*
absetzen *set down*

Salzburg im 16. Jahrhundert

Fastnacht

nter den Studenten, die Doktor Faust öfter besuchten, waren vier, die schon Magister waren. Am Fastnachts-Dienstag lud er sie zum Abendessen ein, setzte ihnen Fische
20 und Braten vor, jedoch in ganz kleinen Portionen. Dabei tröstete er sie mit den Worten: „Liebe Herren, es ist nicht sehr viel, was ich euch vorge-

der Fastnachts-Dienstag *Shrove Tuesday*

der Braten *roast (meat)*
trösten *console*

der Schlaftrunk *nightcap*

so halten *do that way*

das Maß *about one quart*

je *each* aufnehmen *hold*

ungarisch *Hungarian*

die Schüssel *dish, bowl*

bereits *already*

die Verblendung *magic illusion* vorgaukeln *trick with*

decken *set* auftragen *serve (up)*

das Wild *game*

der Bissen *bite*

der Schluck *mouthful* hinunterbringen *get down*

der Aschermittwoch *Ash Wednesday*

üblich *usual*

sich ausgezeichnet amüsieren *have a fine time*

die Unterhaltung *entertainment*

ertönen *be heard*

verstummen *become silent*

setzt habe, aber zum Schlaftrunk wird es besser werden. Ihr wißt, daß man die Fastnacht an vielen Fürstenhöfen mit köstlichen Speisen und Weinen feiert. So wollen wir es auch halten. Deshalb habe ich vor zwei Stunden drei leere Flaschen in meinen Garten gesetzt; die eine davon kann fünf Maß, die beiden anderen je acht Maß aufnehmen. Ich habe meinem Geist Mephostophiles befohlen, uns darin ungarischen, italienischen und spanischen Wein zu holen. Auch habe ich fünfzehn Schüsseln in meinen Garten gesetzt, die bereits mit vielerlei Speisen gefüllt sind. Ich muß die Speisen nur noch wärmen. Es sind wirkliche Speisen und wirkliche Weine, die mein Geist von den Fürstenhöfen geholt hat. Es ist keine Verblendung, die ich euch vorgaukle."

Doktor Faust befahl seinem Famulus Wagner, den Tisch zu decken. Fünfmal trug Wagner Speisen auf, vielerlei Wild und Gebackenes. Zu trinken brachte er italienischen, ungarischen und spanischen Wein.

Als sie alle weder einen Bissen noch einen Schluck mehr hinunterbringen konnten, begannen sie zu singen und zu tanzen und gingen erst am Morgen nach Hause. Doktor Faust lud sie aber noch einmal ein, um auch die richtige Fastnacht, Aschermittwoch, mit ihnen zu feiern.

Am Aschermittwoch kamen die Studenten nun zu Doktor Faust und bekamen wie üblich ein herrliches Essen. Sie sangen und amüsierten sich ausgezeichnet. Als die Gläser herumgingen, zauberte Faust allerlei Unterhaltungen und Erscheinungen in den Raum. Zuerst ertönte Musik, ohne daß man wußte, woher sie kam. Sobald ein Instrument verstummte, fing ein anderes an. Dann

begannen die Flaschen und Gläser auf dem Tisch zu hüpfen. Darauf holte Faust zehn Töpfe, stellte sie in die Mitte des Raumes auf, und sie begannen zu tanzen, stießen immer heftiger aneinander, bis 5 sie sich schließlich gegenseitig zertrümmerten.

Es wurde spät, doch lud Doktor Faust die Studenten ein, noch etwas Vogelwildbret zu essen und nachher mit ihm zum Karneval zu gehen. Es fiel ihm nicht schwer, die Studenten zu überre- 10 den.

Faust steckte daraufhin eine Stange zum Fenster hinaus. Sogleich kamen verschiedene Vögel, darunter auch Wildenten, herbeigeflogen, setzten sich auf die Stange und konnten sich nicht 15 mehr von ihr lösen. Die Studenten halfen Faust, die Vögel zuzubereiten und machten sich dann mit ihm auf den Weg zum Karneval. Doktor Faust befahl jedem, ein weißes Hemd anzuziehen. Als die Studenten die Hemden angezogen hatten 20 und einander anblickten, sah es aus, als hätten sie keine Köpfe. So maskiert, gingen sie in etliche Häuser, worüber die Leute sehr erschraken. Bis Mitternacht unterhielten sie sich als maskierte Gestalten, machten aber dann dem Karneval ein 25 Ende und gingen zu Bett.

Die letzten Belustigungen waren am Donnerstag. Diesmal war Faust von den Studenten zum Essen eingeladen. Wie üblich begann er während des Essens mit einem Gaukelspiel, und zwar als 30 die Studenten ihm einen gebratenen Kalbskopf vorsetzten. Als einer von ihnen ihn anschneiden wollte, fing der Kalbskopf zu schreien an wie ein Mensch: „Mörder! Zu Hilfe!" Die Studenten erschraken zuerst, doch fingen sie dann an zu 35 lachen und verzehrten den Kalbskopf.

hüpfen *hop about* der Topf *pot*
aufstellen *set up*
stoßen *knock* aneinander *against one another* gegenseitig *each other* zertrümmern *smash*
das Vogelwildbret *wild fowl*
die Stange *stick*
die Wildente *wild duck*
sich lösen *get loose*
zubereiten *cook* sich auf den Weg machen *set out*
das Hemd *shirt* anziehen *put on*
anblicken *look at*
maskiert *masked, disguised*
sich unterhalten *amuse oneself*
die Belustigung *diversion*
der Kalbskopf *calf's head*
anschneiden *start cutting*
verzehren *consume*

Von der verzauberten Helena am weißen Sonntag

Am weißen Sonntag waren die Studenten unangemeldet bei Faust erschienen. Ihr Essen und Trinken hatten sie selber mitgebracht. Als der Wein eingeschenkt wurde, sprach man bei Tisch von schönen Frauen. Einer 5 der Studenten sagte, er würde keine Frau so gerne sehen wie die schöne Helena, deretwegen die Stadt Troja zerstört worden war. Welche Schönheit müßte sie gewesen sein, daß man sie ihrem Mann raubte, und darüber ein großer Krieg 10 entstand!

„Die schöne Helena könnt ihr schon zu Gesicht bekommen", sagte Faust. „Ich will sie vor euch allen erscheinen lassen, die schönste Frau Griechenlands. Weshalb solltet ihr nicht Helena 15 sehen können, wenn Kaiser Karl V. Alexander den Großen und seine Gemahlin erblickt hat."

Faust befahl den Studenten, kein Wort zu sprechen und weder vom Tisch aufzustehen, noch die Königin in irgendeiner Weise zu begrüßen. Er 20 ging hinaus und trat kurze Zeit darauf mit der Königin wieder ein. Sie war so schön, daß die Studenten zweifelten, ob sie bei Sinnen waren—so verwirrt und bezaubert waren sie. Helena war in einem prächtigen, dunklen Purpurkleid erschienen. 25 Ihr herrliches, goldenglänzendes Haar hing lang hinab; ihre Augen waren schwarz wie Kohle, ihr

unangemeldet *unannounced*

einschenken *pour*

deretwegen *on whose account*

zerstören *destroy*

rauben *steal (from)*

entstehen *start*

zu Gesicht bekommen *get to see*

weshalb *why*

begrüßen *greet*

zweifeln *doubt* bei Sinnen sein *be in one's right mind* verwirrt *confused* prächtig *gorgeous* das Purpurkleid *deep red dress* glänzen *gleam*

Köpfchen war rund. Ihre Lippen waren so rot wie Kirschen, der Hals so schlank wie der eines weißen Schwans, und die Wänglein waren wie Rosen rot. Die Königin war von schlanker Ge-
5 stalt, eine Frau ohne Fehl.

die Kirsche *cherry* schlank *slender* die Wange *cheek*

der Fehl *blemish*

Helena sah sich in der Stube mit so freiem und schelmischem Blick um, daß die Studenten in Liebe zu ihr entbrannten. Da sie jedoch wußten, daß sie einen Geist vor sich hatten, gelang es
10 ihnen, ihre Gefühle zu zügeln. Helena entschwand mit Doktor Faust wieder aus dem Raum.

schelmisch *roguish*
in Liebe entbrennen *fall violently in love*
gelingen *succeed*
zügeln *curb, check* entschwinden *disappear*

Als Faust zurückkehrte, baten ihn die Studenten, Helena am nächsten Tag noch einmal erscheinen zu lassen. Sie wollten einen Maler
15 kommen lassen, der ihre Schönheit in ein Gemälde bannen sollte. Doktor Faust erklärte jedoch, das sei unmöglich, da er den Geist der Königin nicht jeder Zeit erwecken könnte. Er wolle ihnen jedoch ein Bild Helenas schicken, nach dem man ein
20 Gemälde anfertigen könnte. Das tat Faust auch. Ein Maler überließ es dem anderen; denn es war in der Tat das Abbild einer herrlichen, alles bezaubernden Frauengestalt.

Maler *painter*
bannen *put upon record*
erwecken *awaken*
anfertigen *prepare*
überlassen *let have*
das Abbild *likeness*

Wer das Abbild für Doktor Faust geschaffen
25 hatte, konnte man nicht erfahren. Die Studenten aber, als sie endlich zu Bett gingen, konnten nicht einschlafen und mußten immer wieder an die Gestalt der schönen Helena denken.

einschlafen *fall asleep*

So verblendet der Teufel oft die Menschen
30 und läßt sie in falscher Liebe entbrennen.

verblenden *dazzle, blind*

Faust reitet auf einem Weinfaß

das Faß *barrel, vat*

Einige Studenten aus Ungarn, Polen und Österreich, die mit Doktor Faust in Wittenberg oft zusammen waren, baten ihn, mit ihnen die Leipziger Messe zu besuchen. Faust willigte ein und ging mit. 5

die Messe *fair*

In Leipzig sahen sie sich alles an, die Stadt, die Messe und die Universität. Dabei kamen sie einmal an einem Weinkeller vorbei, wo mehrere Fuhrleute vor einem großen Weinfaß standen. Sie wollten es aus dem Keller herausbringen, vermochten es aber nicht, da es ihnen zu schwer war. 10

die Fuhrleute *wagon drivers*
vermögen *be able to*

Auerbachs Hof in Leipzig, 1625

Als Doktor Faust das sah, fragte er: „Wieso seid ihr so ungeschickt? Seid ihr doch so viele und könnt das Faß nicht aus dem Keller bringen!"

ungeschickt *awkward*

Die Fuhrleute ärgerten sich; da sie Doktor 5 Faust nicht kannten, schimpften sie heftig. Der Besitzer des Weinkellers aber sagte: „Gut, wenn jemand von euch das Faß allein aus dem Keller herausbringt, so soll es ihm gehören."

schimpfen *grumble*
der Besitzer *owner*

Faust stieg sogleich in den Keller hinunter, 10 setzte sich auf das Faß wie auf ein Pferd und ritt darauf aus dem Keller. Der Besitzer des Kellers hatte das nicht für möglich gehalten. Doch mußte er sein Versprechen halten und Faust das Faß Wein überlassen. Faust schenkte es den Studenten 15 aus Wittenberg. Diese luden gute Freunde ein, feierten tagelang und erzählten noch oft von ihrem Glück in Leipzig.

halten für *consider*

Faust liest Homer in Erfurt

lesen *lecture on*

Viele Jahre hat sich Doktor Faust auch in Erfurt aufgehalten und mancherlei Aben- 20 teuer dort bestanden. Etliche Leute haben ihn dort gekannt, haben seine Gaukelspiele gesehen und mit ihm gegessen und getrunken.

sich aufhalten *stay*
mancherlei *various* Abenteuer bestehen *encounter adventures*

In Erfurt hielt Faust auch Vorlesungen an der Universität. Einmal las er über die Werke des 25 großen Dichters Homer, welche die Geschichte des zehnjährigen Krieges um Troja schildern, der unter den griechischen Fürsten wegen der schönen Helena ausgebrochen war. Faust beschrieb Person, Gestalt und Antlitz der berühmten griechischen

Troja *Troy* schildern *describe*
das Antlitz *countenance* berühmt *famous* der Held *hero*

der Held *hero*

zuwegebringen *bring about*

Zulauf haben *draw crowds*

Lust finden an *take pleasure in*

das Affenspiel *hoax(es)* das Gaukelwerk *trickery*

anwesend *present*
sonst *otherwise*
mitten in *in the middle of*

auf . . . hin *upon*

die Rüstung *armor* üblich *customary*

schütteln *shake* erzürnt *angry*

der Riese *giant* eintreten *enter*

zottig *shaggy* der Kerl *fellow*

fressen *eat* der Schenkel *thigh*

das Maul *mouth*

zu Berge stehen *stand on end*

gehorchen *obey*

Helden so interessant, daß die Studenten den Wunsch hatten, diese Helden wirklich zu sehen. Sie baten ihn deshalb sehr, ob er dies nicht zuwegebringen könnte.

Faust versprach ihnen daraufhin, die griechischen Helden in der nächsten Vorlesung erscheinen zu lassen. Die Vorlesung hatte großen Zulauf, denn junge Menschen finden oft mehr Lust an Affenspiel und Gaukelwerk als am Guten und Ernsten. Als Faust sah, daß wegen seines Versprechens mehr Studenten anwesend waren als sonst, sagte er mitten in der Vorlesung: „Da ihr den Wunsch habt, die berühmten griechischen Helden zu sehen, wie sie damals gelebt haben und wie der Dichter sie beschrieben hat, so will ich diesen Wunsch erfüllen."

Auf diese Worte hin erschienen, einer nach dem anderen, die berühmten Helden in der Rüstung, wie sie zu ihren Lebzeiten üblich war. Sie traten in das Auditorium, sahen sich um und schüttelten den Kopf, als wären sie erzürnt. Zuletzt trat der Riese Polyphemos ein. Er hatte nur ein Auge mitten auf der Stirn und einen langen, zottigen, feuerroten Bart. Ein Kerl, den er gefressen hatte, hing ihm noch mit den Schenkeln zum Maul heraus. Der Riese war so furchtbar anzusehen, daß den Studenten die Haare zu Berge standen.

Doktor Faust lachte. Er hatte alle Helden bei ihrem Namen hereingerufen und sodann wieder herausgeschickt. Alle hatten gehorcht; nur der Riese Polyphemos stellte sich so, als wolle er nicht wieder gehen, sondern noch einen oder zwei auffressen. Mit einem mächtigen, dicken Spieß stieß er gegen den Erdboden, daß das ganze 5 Auditorium erschüttert wurde und sich bewegte.

Endlich winkte ihm Doktor Faust mit einem Finger; da verschwand auch er. Die Studenten hatten nach weiterem Gaukelspiel kein Verlangen mehr.

sich so stellen *assume such a stance*
auffressen *eat up*
der Erdboden *floor, ground*
erschüttern *shake* sich bewegen *be in motion* winken *signal*
Verlangen nach *desire to see*

Die verlorenen Komödien des Terenz und Plautus

10 Bald darauf fand an der Erfurter Universität eine Promotion statt, bei der mehrere die Magisterwürde erhielten. Aus diesem Anlaß sprachen einige Professoren der Universität über den Wert und die Vorzüge des lateinischen 15 Komödiendichters Terenz. Seine Werke, wurde erklärt, wären nicht nur wegen ihres schönen Lateins und wegen der guten Lehren, die sie enthielten, von Wert, sondern vor allem auch wegen ihrer Schilderung aller Stände der Welt. 20 Terenz wußte gute und böse Menschen zu beschreiben, als ob er in ihr Herz blicken und ihre Gedanken lesen könnte. Das müsse jeder, der Terenz richtig liest und versteht, zugeben. Was aber noch wunderbarer sei: Man ersehe aus des 25 Terenz' Werken, daß die Menschen heute noch genau so sind wie damals und daß sie in der gleichen Weise leben, obwohl Terenz seine Komödien einige hundert Jahre vor Christi Geburt geschrieben hatte.

30 Die Professoren führten gleichzeitig Klage darüber, daß die meisten und besten Komödien des Terenz durch einen Schiffbruch verlorengegangen waren. Terenz soll vor Kummer darüber gestorben sein. Ein gleiches Unglück wäre es mit 35 den Stücken des Komödiendichters Plautus. Auch

die Magisterwürde *Master's degree* erhalten *receive* aus diesem Anlaß *upon this occasion* der Wert *value* die Vorzüge (pl.) *good qualities*
die Lehre *(moral) doctrine*
enthalten *contain*
die Schilderung *description* der Stand *kind of people*
der Gedanke *thought*
zugeben *admit*
die Weise *manner*
Klage führen über *complain of*
der Schiffbruch *shipwreck* verlorengegangen *lost* vor Kummer *of grief* gleich *same* das Unglück *misfortune*

seine Werke wären höchst wertvoll, doch müssen viele als verschollen gelten, da sie durch Wasser oder Feuer verlorengegangen sind.

Doktor Faust hörte lange zu, ohne ein Wort zu sagen. Endlich sprach auch er von Terenz und Plautus, wußte aber viel mehr über die Werke der beiden Komödiendichter als die Professoren. Er konnte aus den verlorenen Werken sogar vieles zitieren, worüber sich alle sehr verwunderten. Einer fragte auch, woher Faust wüßte, was in den verlorenen Komödien stand.

Doktor Faust antwortete darauf, daß die Werke von Terenz und Plautus nicht so völlig verloren wären, wie man glaubte. Er könne die verschollenen Werke sogar wieder ans Licht bringen. Nur müsse er sicher sein, daß es ohne Gefahr sei und daß die Theologen, die ihn meist nicht mochten, nichts dagegen hätten. Dann würde er die Werke für einige Stunden ans Licht bringen. Wenn man sie länger haben wollte, könnte man sie schnell abschreiben lassen.

Man berichtete den Theologen und den vornehmsten Herren des Rates von Fausts Vorschlag. Die Herren gaben aber zur Antwort: Faust soll die Bücher entweder so ans Licht bringen, daß sie für immer bleiben oder gar nicht. Man habe ja genug Autoren und Bücher, woraus junge Menschen die lateinische Sprache lernen könnten. Auch bestünde beim schnellen Abschreiben die Gefahr, der böse Geist könnte allerlei Gift und schlechte Lehren in die neugefundenen Werke mit einschmuggeln, so daß man bei der ganzen Sache mehr Schaden als Nutzen hätte.

Daher besitzt man bis heute nur jene Stücke von Terenz und Plautus, die man schon immer gehabt hat. Die verlorenen Werke sind weiter an jenem Ort, wohin sie der Teufel gebracht und versteckt hat. Da die Herren Theologen und die Herren des Rates mit dem Vorschlag Fausts nicht einverstanden waren, konnte er diesmal seine Kunst nicht beweisen.

verschollen *lost* gelten *be considered*
zuhören *listen*
zitieren *quote*
völlig *completely*
sicher *sure*
abschreiben lassen *have copied*
der Rat *council* der Vorschlag *proposal*
bestehen *exist, be*
das Gift *poison*
mit einschmuggeln *smuggle in*
der Schaden *harm* der Nutzen *gain*
verstecken *hide*
einverstanden sein mit *agree to*
beweisen *demonstrate*

Faust und die Erfurter Gesellschaft

die Gesellschaft *society*

Als Faust einmal bei einem Herrn in Erfurt zu Gast war, gab man ihm so viel zu essen und zu trinken, daß er einen Rausch bekam. Er fing sogleich mit seinem Gaukelspiel an und fragte, ob die Herren vielleicht ein oder zwei fremde Weine versuchen wollten. Als sie bejahten, fragte er, ob es griechischer, spanischer oder französischer Wein sein solle.

zu Gast sein *be a guest*
einen Rausch bekommen *get a little drunk*
bejahen *say "yes"*
französisch *French*

Einer der Gäste gab lachend zur Antwort: „Sie sind alle gut."

Da verlangte Doktor Faust einen Bohrer und bohrte damit vier Löcher in den Rand der Tischplatte. In jedes der Löcher steckte er einen Pfropfen und bat, daß man frische Gläser bringe. Nachdem dies geschehen war, zog er einen Pfropfen nach dem andern heraus, und es floß aus den Löchern der Wein, den jeder gerade begehrte. Die Gäste verwunderten sich, lachten aber, waren guter Dinge und genossen den Abend sehr.

der Bohrer *drill*
der Rand *edge* die Tischplatte *tabletop* der Pfropfen *stopper*
guter Dinge sein *be in high spirits*

Das nächste Mal waren die Leute bei Doktor Faust zu Gast. Sie kamen alle gerne, nicht nur wegen des Essens und Trinkens, sondern weil sie hofften, wiederum seltsame Belustigungen von ihm zu sehen.

seltsam *unusual* die Belustigung *diversion*

Als einer nach dem andern kam, sahen sie weder Feuer noch Rauch, weder Essen noch

der Rauch *smoke*

Trinken. Sie sagten aber nichts, waren guter Dinge und dachten, Doktor Faust würde wohl wissen, wie er seine Gäste zu unterhalten habe.

unterhalten *entertain*

Alsbald klopfte Faust mit dem Messer auf den Tisch, und es trat einer ein, als wenn er sein Diener wäre. „Herr, was wollt Ihr?" fragte er. 5

alsbald *very soon* das Messer *knife* eintreten *enter*

„Wie schnell bist du?" fragte Doktor Faust.

Er antwortete: „Wie ein Pfeil."

der Pfeil *arrow*

„O nein", sprach Faust, „du nützt mir nichts. Geh wieder hin, wo du hergekommen bist!" 10

nützen *be of use*
herkommen *come from*

Nach einer kleinen Weile klopfte er wieder mit dem Messer auf den Tisch. Da trat ein anderer Diener ein und fragte nach Fausts Wünschen.

„Wie schnell bist du?" fragte auch ihn Doktor Faust. 15

Er antwortete: „Wie der Wind."

„Das ist wohl etwas", sagte Faust, „aber du bist jetzt auch nicht zu brauchen. Geh wieder hin, wo du hergekommen bist!" 20

Nach kurzer Zeit klopfte Doktor Faust zum dritten Mal auf den Tisch. Da trat wieder ein anderer ein, machte ein saures Gesicht und fragte: „Was soll ich?"

ein saures Gesicht machen *look surly*

„Sag mir", sprach der Doktor, „wie schnell du bist! Dann sollst du hören, was du tun sollst." 25

„Ich bin so schnell wie die Gedanken der Menschen", antwortete er.

„Gut", sagte Faust, „dich kann ich brauchen." Er stand auf und befahl ihm, was er zu essen und zu trinken holen sollte. 30

Der schnellste seiner Diener brachte sodann Faust und seinen Gästen die herrlichsten Speisen, sechsunddreißig verschiedene Gerichte. Gläser wurden leer auf den Tisch gestellt. Wenn jemand trinken wollte, fragte Faust ihn, was er wünsche. Sobald er es aussprach, stellte Faust das Glas vor das Fenster, und im nächsten Augenblick war es gefüllt mit dem gewünschten Getränk, frisch wie aus dem Keller. 35 40

das Gericht *dish*
aussprechen *say, state*

Zur Unterhaltung spielte ein Gehilfe des schnellsten Dieners wunderbar auf allerlei Instru-

der Gehilfe *assistant*

menten, daß die Gäste meinten, sie hätten in ihrem ganzen Leben niemals so wunderbare Musik gehört. Es mangelte an nichts; niemand konnte mehr begehren, als er erhielt. Man blieb die ganze 5 Nacht zusammen bis in den hellen Morgen hinein.

mangeln an *be lacking*
erhalten *receive, get*
bis in . . . hinein *right into*

Ein Mönch will Doktor Faust bekehren

bekehren *convert*

Die Gerüchte von Fausts seltsamen Abenteuern drangen über die Stadt Erfurt hinaus auf das Land. Daher kamen viele 10 Adlige und junge Ritter von Fürsten- und Grafen-Höfen nach Erfurt, um ihn kennenzulernen und vielleicht auch eines seiner Wunderwerke zu sehen und zu hören, damit sie es weitererzählen könnten. Weil aber so viele junge Menschen zu 15 Faust kamen, machten sich manche Leute Sorgen, daß die Jugend verführt werde, Lust an der Schwarzkunst zu finden, weil sie diese nur für Scherz hielt und nicht wußte, daß es die Seele in Gefahr brachte. Man wandte sich deshalb an 20 einen berühmten Mönch, Doktor Klinge mit Namen, der Doktor Luther gut kannte und auch Doktor Faust. Doktor Klinge sollte mit Faust reden und versuchen, ihn aus des Teufels Rachen zu retten. Der Mönch ging zu ihm, redete erst 25 freundlich, sprach dann harte Worte und drohte mit Gottes Zorn und Verdammnis.

„Ihr seid ein hochgelehrter Mann", sagte der

das Gerücht *rumor*
drangen hinaus über *spread to*
adlig *noble* der Ritter *knight*
das Wunderwerk *wonderwork*
damit *so that* weitererzählen *tell others (about)*
sich Sorgen machen *worry*
verführen *lead astray* Lust finden an *take pleasure in*
der Scherz *a joke*
der Rachen *jaws*
retten *save*
drohen *threaten*
der Zorn *anger*
hochgelehrt *very learned*

Erfurt im 16. Jahrhundert

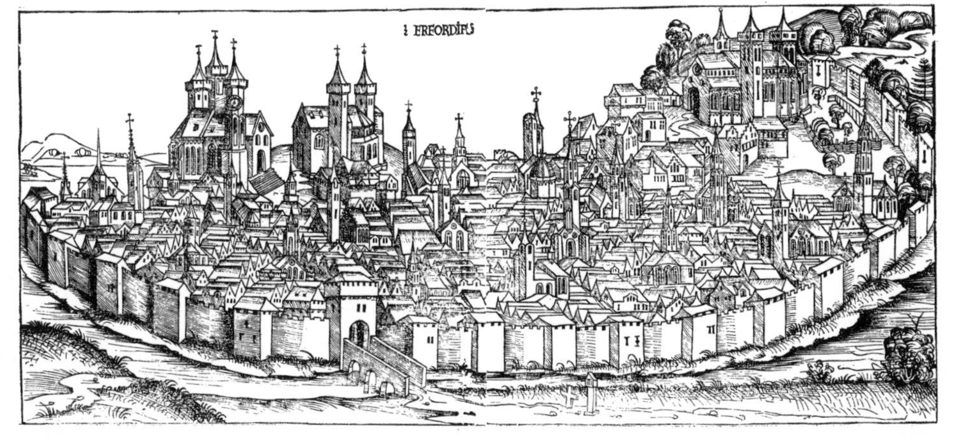

sich ernähren *earn one's livelihood* wohlgefällig *pleasing (to)* die Ehre *honor* unüberlegt *ill-advisedly, thoughtlessly* sich einlassen *have dealings*

Mönch Doktor Klinge, „ihr könntet euch Gott wohlgefällig und in Ehren ernähren. Vielleicht habt ihr euch in der Jugend mit dem Teufel unüberlegt und leichtfertig eingelassen, oder hat euch der Teufel, der ein Mörder und Lügner ist, überredet. Ihr solltet ihm absagen und Gott um die Vergebung eurer Sünden bitten. Gott kann man jeder Zeit um Gnade bitten."

ausreden *finish speaking*

Faust hörte zu, bis Doktor Klinge ausgeredet hatte; dann antwortete er: „Mein lieber Herr, ich sehe, daß ihr es gut mit mir meint. Ich verstehe auch alles, was ihr mir erzählt habt. Doch ich habe mich zu sehr verstiegen. Mit meinem eigenen Blut habe ich mich dem Teufel verschrieben und habe ihm Leib und Seele auf ewig verkauft. Wie kann ich zurück? Wer kann mir da noch helfen?"

sich zu sehr versteigen *go too far*

versichern *assert*

„Es kann euch geholfen werden", versicherte der Mönch, „wenn ihr Gott fleißig um Gnade bittet. Buße müßt ihr tun und Gott um die Vergebung eurer Sünden anflehen. Vor allem aber müßt ihr euch von der Zauberei und vom Teufel überhaupt abwenden. Ihr dürft niemand mehr ärgern oder verführen. Dann wollen wir in unserem Kloster auch eine Messe lesen, daß ihr den Teufel loswerdet."

die Buße *penance*

anflehen *implore*

überhaupt *altogether* sich abwenden *turn away*

eine Messe lesen *say mass*

loswerden *get rid of*

Messe ... her *whatever mass you read*

„Messe hin, Messe her", antwortete Doktor Faust. „Ich habe mich von Gott abgewandt und dem Teufel mehr geglaubt als ihm. Darum kann ich nicht wieder zu ihm kommen. Seine Gnade habe ich verscherzt. Auch habe ich einen Brief mit meinem Blut unterschrieben und muß mein Versprechen redlich halten; denn der Teufel hat sein Versprechen ebenso gehalten und hat mir viele Jahre redlich gedient."

verscherzen *forfeit*

redlich *honestly*

ebenso *the same way*

zornig *angry*

fahre hin *go (to hell)* verflucht *damned*

anders *(any) different*

Als der Mönch das hörte, wurde er zornig und schrie: „So fahre hin, du verfluchtes Teufelskind, wenn du dir nicht helfen lassen und es nicht anders haben willst!"

Also ging Doktor Klinge wieder von ihm und berichtete dem Rektor der Universität und dem Rat der Stadt. Daraufhin mußte Doktor Faust die Universitätsstadt verlassen.

Ein alter Mann will Faust bekehren

Ein frommer und gottesfürchtiger Arzt, ein Verehrer der Heiligen Schrift und Nachbar von Doktor Faust sah auch, wie im Lauf der Zeit viele junge Leute, viele Studenten,
5 immer wieder seine Gesellschaft suchten und oft bei ihm waren. Auch wußte der alte Arzt, daß nicht Gott und seine Engel, sondern der Teufel und seine Geister in Fausts Haus eine Heimstätte hatten. Deshalb nahm er sich vor, mit Faust zu
10 reden, er möge doch von seinem teuflischen Leben ablassen, und lud ihn zu sich zum Essen ein.

Während der Mahlzeit sagte der Arzt dann zu Faust: „Mein lieber Nachbar, ich habe eine freundliche, christliche Bitte an euch. Nehmt
15 meine Worte so gut auf, wie sie gemeint sind!"

„Erklärt mir euren Wunsch!" erwiderte Doktor Faust. „Ich will ihn gerne erfüllen."

Da fing der Arzt noch einmal an: „Mein lieber Nachbar, ihr habt Gott und allen Heiligen
20 abgesagt und habt euch dem Teufel verschrieben. Ihr seid in Gottes Ungnade gefallen; denn aus einem christlichen und guten Menschen seid ihr zu einem egoistischen und bösen Menschen ge-

gottesfürchtig *godfearing*
der Verehrer *admirer*
die Gesellschaft *company*
die Heimstätte *home, abode*
ablassen von *stop*
die Mahlzeit *meal*
die Bitte *request* aufnehmen *take, accept*
der Heilige *saint*
in Ungnade fallen *incur disfavor*

bevorstehen *be near*

etwa *perhaps* die Apostelgeschichte *Acts of the Apostles*

sich bekehren lassen *let oneself be converted*

Hesekiel *Ezekiel*

verstoßen gegen *violate* das Gebot *commandment*

das Greuel *horror*

die Gerechtigkeit *justice*

teilhaben an *have a share in*

aufmerksam *attentively*

beeindruckt *impressed*

in sich gehen *turn over a new leaf*

sich verabschieden *say good-bye*

der Vortrag *discourse*

bedauern *regret* sich ergeben *yield*

worden. Das hat alles nicht nur mit dem Leib zu tun, sondern auch mit der Seele. Die ewige Ungnade Gottes steht euch bevor."

„Es ist aber noch nicht zu spät", redete der alte Mann weiter, „wenn ihr Gott um Gnade und Verzeihung bittet. Es gibt dafür genug Beispiele in der Bibel: So etwa im achten Kapitel der Apostelgeschichte der Bericht über den Zauberer Simon, der ein ganzes Volk verführt hat. Man hat ihn sogar für einen Gott gehalten und ihn den Heiligen Gott Simon genannt. Aber Simon hat sich bekehren lassen und glaubte schließlich wieder an Jesus Christus. Diese Geschichte sollte euch ein christliches Beispiel sein.

„Man muß aber Buße tun und Gnade und Verzeihung suchen. Zu allen Sündern spricht der Herr: ‚Kommt her zu mir'! Im Buch des Propheten Hesekiel heißt es: ‚Ich begehre nicht den Tod des Sünders, sondern daß er sich bekehre und lebe'! Nehmt euch meine Worte zu Herzen! Bittet Gott um Verzeihung!

„Die Zauberei verstößt gegen die Gebote Gottes. Im Alten wie im Neuen Testament hat Er sie verboten. Die Zauberer, sagte Er, soll man nicht leben lassen und soll nichts mit ihnen zu tun haben, denn sie sind ein Greuel. St. Paulus nannte den Zauberer Bar Jehu[1], ein Kind des Teufels und einen Feind aller Gerechtigkeit, der am Reiche Gottes nicht teilhaben soll."

Doktor Faust hörte dem Arzt aufmerksam zu und sagte, er wäre sehr beeindruckt von dessen Worten. Er dankte dem alten Mann dafür, daß er es so gut mit ihm meine und versprach, in sich zu gehen.

Damit verabschiedete er sich und kehrte nach Hause zurück. Hier dachte er über den Vortrag des Alten nach und bedauerte, sich dem Teufel ergeben zu haben.

Er nahm sich vor, Buße zu tun. Doch gerade

[1]In der Apostelgeschichte, 13, 6-12 heißt der Zauberer Bar-Jesus oder Elymas.

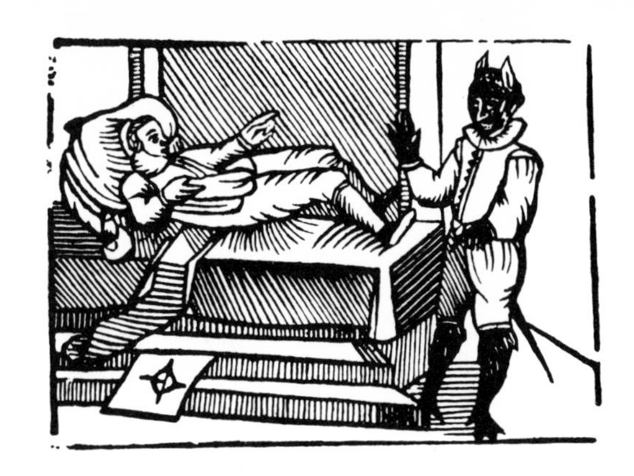

während er diesen Gedanken nachging, erschien ihm sein Geist und packte ihn, als ob er ihm den Hals umdrehen wollte. Dabei hielt er ihm vor, daß ihn seine eigene Frechheit und Vermessenheit bewogen hätten, sich dem Teufel zu verschreiben und daß er versprochen habe, Gott und allen Menschen feind zu sein. Wenn er dieses Versprechen nun brechen wolle, so sei es zu spät. Er gehöre dem Teufel, der ihn jetzt sofort holen könne. Der Teufel würde ihm auch sofort den Garaus machen, wenn Faust sich nicht schleunigst hinsetze, um sich ihm zum zweiten Mal mit seinem Blut zu verschreiben. Auch müsse er versprechen, sich von keinem Menschen bekehren zu lassen. Gehorche er nicht, so würde er sofort in Stücke gerissen.

Faust erschrak sehr, willigte sofort ein, setzte sich an den Tisch und verschrieb sich zum zweiten Mal dem Teufel mit seinem Blut. Das Schreiben wurde nach seinem Tode gefunden.

nachgehen *pursue*

packen *lay hold of* den Hals umdrehen *wring (a person's) neck* vorhalten *remind (with reproach)* bewegen *induce*

den Garaus machen *finish (a person) off* schleunigst *in all haste*

reißen *tear*

Doktor Faust verschreibt sich dem Teufel zum zweiten Mal

bekennen *acknowledge*

die Verschreibung *written promise*

einhalten *keep*

verzichten auf *give up all claim to*

schalten und walten *do as one likes*

befolgen *observe*

der Vertrag *agreement*

zur Bekräftigung *to confirm this*

das Datum *date*

Ich, Doktor Faust, bekenne mit meiner eigenen Hand und mit meinem eigenen Blut, daß ich meine erste Verschreibung siebzehn Jahre lang fest eingehalten habe und Gott und allen Menschen feind gewesen bin. Ich 5
verzichte auf Leib und Seele und übergebe sie hiermit dem mächtigen Gott Luzifer, der in sieben Jahren damit schalten und walten kann, wie er will. Ich verspreche, daß ich mich von keinem Menschen bekehren lassen werde. Ich werde weder 10
christliche Lehren befolgen, noch werde ich christlichen Lehrern gehorchen. Diesen Vertrag werde ich streng und genau halten. Zur Bekräftigung habe ich diese Verschreibung mit meinem eigenen Blut geschrieben. 15

Datum, Wittenberg
Doktor Faust

beten *pray*

schützen *protect*

beikommen *get at* bereits *already*

vernehmen *hear*

der Lärm *noise*

grunzen *grunt*

spotten über *ridicule*

bäurisch *boorish*

das Gespenst *ghost*

sich aufhalten *spend time*

der Spott *ridicule* vertreiben *drive away*

Nachdem er unterschrieben hatte, wurde er dem alten Mann, seinem Nachbarn, so feind, daß er ihn Tag und Nacht zu ärgern suchte. 20

Das christliche Beten und Leben des alten Mannes schützte ihn aber, so daß ihm der Teufel nicht beikommen konnte. Zwei Tage später bereits vernahm der alte Mann nämlich, als er zu Bett ging, in seinem Zimmer einen Lärm, den er 25
nie zuvor gehört hatte. Es kam etwas zu ihm in das Zimmer, lärmte und grunzte wie ein Schwein. Darauf fing der alte Arzt an, über den Geist zu spotten. „Welch eine bäurische Musik ist das doch", sagte er, „das ist wohl der Gesang eines 30
Gespenstes, eines Engels, der keine zwei Tage im Paradies hat bleiben können. Jetzt hält er sich in den Häusern anderer Leute auf, weil er in seiner eigenen Behausung nicht hat bleiben können." Mit solchem Spott vertrieb er den Geist. 35

Doktor Faust fragte aber den Geist, nachdem dieser vom Haus des Arztes zurückgekommen war, was er mit dem Alten getan habe. Der Geist Mephostophiles gab zur Antwort, er hätte dem 5 Alten nicht beikommen können. Ja, dieser hätte sogar ihn, den Geist, verspottet.

Spott aber mögen die Geister und Teufel überhaupt nicht leiden, besonders wenn man ihnen dabei ihren Fall vorwirft. So beschützt Gott 10 alle frommen Christen vor dem bösen Geist.

vorwerfen *reproach with* beschützen *protect*

Von der griechischen Helena und Fausts Sohn

Als das dreiundzwanzigste Jahr von Fausts Pakt mit dem Teufel begann, erwachte er einmal um Mitternacht. Er konnte nicht wieder einschlafen, und ihm fiel die Gestalt der 15 Königin Helena aus Griechenland ein, die er einige Jahre zuvor am weißen Sonntag vor den Studenten hatte erscheinen lassen. Die Studenten hatten damals gezweifelt, ob sie bei Sinnen waren—so verwirrt und so bezaubert waren sie von 20 der schönen Helena.

Früh am Morgen verlangte er von seinem Geist Mephostophiles, er solle ihm die holdselige Helena herbeischaffen, denn er wolle sie bei sich haben. Mephostophiles gehorchte sofort und

(einem) einfallen *think of*

zweifeln *doubt* bei Sinnen sein *be in one's right mind* bezaubert *enchanted*

holdselig *exquisite*

herbeischaffen *bring (here)*

schaffte die schönste Frau Griechenlands herbei. Helena war von ebenso schöner Gestalt wie an dem Sonntag, an dem sie den Studenten erschienen war. Ihr Gesicht war lieblich und holdselig.

Als Doktor Faust die wunderschöne Frau erblickte, war er bezaubert. Er begann sofort, ihr den Hof zu machen und beschloß, sie bei sich zu behalten. Ja, er gewann sie so lieb, daß er keinen Augenblick ohne ihre Gesellschaft sein wollte. 5

den Hof machen *court* beschließen *decide* behalten *keep* lieb gewinnen *become fond of*

Im letzten Jahr seines Lebens gebar Helena ihm einen Sohn, über den er sich sehr freute und den er Justus Faust nannte. Das Kind erzählte ihm viel von zukünftigen Dingen, die in allen Ländern geschehen sollten. 10

gebären *bear*

zukünftige Dinge *things to come*

Als Doktor Faust ums Leben kam, verschwanden mit ihm zugleich Mutter und Kind. 15

ums Leben kommen *lose one's life*

Doktor Faust spricht mit seinem Diener über sein Testament

Bis in das vierundzwanzigste und letzte Jahr seines Paktes hatte Faust Christoph Wagner als Famulus bei sich. Wagner war vorher ein bösartiger Landstreicher gewesen, der in Wittenberg betteln gegangen war und den wegen seines bösen Wesens niemand bei sich hatte aufnehmen wollen. 20

bösartig *malicious* der Landstreicher *vagabond* betteln *beg*

das Wesen *character*

aufnehmen *take in*

Bei Doktor Faust blieb jedoch dieser Wagner; Faust nannte ihn sogar seinen Sohn. Wo immer er hinkam, war Wagner dabei und schlemmte und soff mit.

schlemmen *carouse*
saufen *guzzle*

Als das Ende des letzten Jahres von Faust nahte, ging er zu seinem Notar und vermachte Wagner sein Haus und seinen Garten. Er vermachte ihm auch ein Bauerngut, Geld, eine goldene Kette und Silber, das er vom Hofe des Papstes und des türkischen Kaisers mit nach Hause gebracht hatte.

nahen *draw near* der Notar *notary* vermachen *leave (by will)*
das Bauerngut *farm*
die Kette *chain*

„Ich habe dir alles vermacht“, sagte Faust, „weil du treu geschwiegen und niemand etwas über mich und meine Geheimnisse erzählt hast. Wenn du noch eine Bitte hast, so sag sie mir!“

treu *faithfully* schweigen *keep one's mouth closed* das Geheimnis *secret*

„Ich habe eine Bitte“, sagte der Famulus Wagner. „Ich möchte eure Geschicklichkeit haben.“

die Geschicklichkeit *skill, dexterity*

„Meine Bücher habe ich dir schon vermacht“, antwortete Doktor Faust. „Du sollst sie niemand zeigen, sondern sie selber lesen und fleißig studieren. Dann wirst du auch meine Geschicklichkeit erwerben. Meinen Geist Mephostophiles kann ich dir zwar nicht vermachen, aber ich werde dir einen anderen Geist verschaffen. Ich bitte dafür dich, nichts zu sagen und nichts zu schreiben über meine Kunst und meine Abenteuer, bis ich tot bin. Dann kannst du meine Historie schreiben. Dein Geist wird dir dabei helfen und wird dich erinnern, wenn du etwas vergessen solltest; denn man wird diese, meine Geschichte von dir haben wollen.“

erwerben *gain*
verschaffen *get*
erinnern *remind*

Wagner und diabolische Gestalt

Doktor Fausts Weheklage

die Weheklage *lament*

wie im Fluge vergehen *fly by*

zu Ende gehen *come to an end*

gefangen *imprisoned* zumute sein *feel* das Urteil *sentence*

erwarten *await*

stark abnehmen *lose much weight*

die Traurigkeit *sadness* bewegen *induce* niederschreiben *write down*

verwegen *insolent*

nichtswürdig *worthless*

die ewige Seligkeit *everlasting bliss*

die Vernunft *reason* anklagen *accuse*

die Entscheidung *decision*

wählen *choose* was hilft *of what use is*

erbärmlich *pitiable*

die Vermessenheit *presumptuousness* verflucht *accursed*

erlösen *save, redeem* sich verbergen *hide* gefangen *trapped*

verzweifelt *in despair*

Doktor Faust vergingen die Stunden wie im Fluge. Nur noch einen Monat hatte er vor sich, bis das vierundzwanzigste Jahr zu Ende ging. Ihm war wie einem gefangenen Mörder zumute, der das Urteil im Gefängnis gehört hat 5 und den Tod erwartet. Er redete mit sich selbst, nahm stark ab, ließ sich selten blicken und wollte auch den Geist nicht mehr bei sich sehen.

Fausts Traurigkeit bewog ihn, seine Weheklagen darüber niederzuschreiben, daß er noch in 10 jungen Jahren sterben mußte.

„O Faust", schrieb er, „du verwegenes und nichtswürdiges Herz, der du Menschen verführt hast in die Verdammnis des ewigen Feuers, du hättest die ewige Seligkeit selbst haben können, 15 die du jetzt verlierst. O, du noch gesunder Leib, Vernunft und Seele klagen mich an; denn bei mir allein lag die Entscheidung, dieses oder ein anderes Leben zu wählen. Was hilft mir mein Klagen jetzt? 20

„Dir steht ein erbärmlicher Tod bevor! Ach, Vernunft, Vermessenheit und freier Wille! Du verfluchtes Leben! Du Blinder!

„Wer wird mich erlösen? Wo soll ich mich verbergen? Wohin soll ich fliehen? Ich bin gefangen!" 25

Faust war verzweifelt. Er konnte nicht mehr.

Mephostophiles plagt Faust

plagen *torment*

Als Mephostophiles das Weheklagen hörte, erschien er bei Faust und sprach zu ihm: „Aus der Heiligen Schrift hast du es gewußt: Du sollst Gott allein anbeten, ihm dienen, und keine anderen Götter sollst du haben, weder zur Linken noch zur Rechten. Du aber bist von Gott abgefallen, hast dich mit Leib und Seele dem Teufel verschrieben.

„Mit großen Herren und mit dem Teufel ist aber nicht gut Kirschen essen. Sie werfen dir die Stengel ins Gesicht. Die Kunst, die dir Gott gegeben hat, hast du verachtet. Sie hat dir nicht genügt, und du hast dir den Teufel zu Gast laden müssen. Vierundzwanzig Jahre lang hast du gemeint: ‚Es ist alles Gold, was glänzt'.

„Sieh, du wärest ein schönes Geschöpf. Aber die Rose, die man lange in Händen hat und an der man riecht, bleibt nicht.

„Dessen Brot du ißt, dessen Lied singst du.

„Eine gebratene Wurst hat zwei Enden.

„Auf des Teufels Eis ist nicht gut gehen.

„Du hast eine böse Art gehabt. Und Art läßt nicht von Art, wie die Katze das Mausen nicht läßt.

„Wenn der Löffel neu ist, braucht ihn der Koch; wenn er alt ist, pfeift er auf ihn, und mit dir ist es nicht anders.

„Welch einen Übermut hast du gehabt. Einen Teufelsfreund hast du dich genannt. Drum schürze dich jetzt! Denn Gott ist der Herr; der Teufel ist nur ein Mönch.

„Hans Dampf in allen Gassen wolltest du sein. Wer zu viel will, der erhält zu wenig. Du hättest dem Teufel nicht trauen sollen; denn er ist Gottes Affe, ein Lügner und ein Mörder.

„Jetzt wischt sich der Teufel das Maul und geht davon."

Als Mephostophiles Faust, dem armen Judas, genug gesungen, verschwand er wieder und ließ Faust verwirrt und verzweifelt allein.

anbeten *worship*

die Kirsche *cherry* nicht gut Kirschen essen mit *not easy to get along with* der Stengel *stem* verachten *look down on* genügen *satisfy* zu Gast laden *invite*

glänzen *glitter*

schön *handsome* das Geschöpf *creature*

riechen *smell* bleiben *last*

das Lied *song*

die Wurst *sausage*

die Art *nature*

Art läßt nicht von Art *a man remains the same* das Mausen *catch mice* lassen *stop*

der Löffel *spoon*

pfeifen *whistle* pfeifen auf *would not give a hill of beans for*

der Übermut *arrogance*

drum *therefore*

sich schürzen *gird up one's loins*

Hans Dampf in allen Gassen *busybody* erhalten *get*

trauen *trust*

sich das Maul wischen *wipe one's mouth* davongehen *leave*

verwirrt *confused*

Doktor Fausts Weheklage von der Hölle und ihrer unaussprechlichen Qual

unaussprechlich *unspeakable*

Warum bin ich nicht ein Tier, das ohne Seele stirbt! Nun nimmt mir der Teufel Leib und Seele und stürzt mich in unerhörte Finsternis.

stürzen *plunge* unerhört *unheard of*

Ich muß unter die Verdammten in unerträgliche Greuel und unaussprechlichen Gestank.

unerträglich *unbearable*
der Gestank *stench*

Ewige Verdammnis, welches Elends muß man gewärtig sein mit weinenden Augen, knirschenden Zähnen, jammernder Stimme, zitternden Händen und Füßen!

das Elend *misery*
gewärtig sein *expect* knirschen *gnash* jammern *moan* zittern *tremble*

Gern würde ich des Himmels entbehren, wenn ich der ewigen Strafe entfliehen könnte. Doch wer wird mich aus dem unaussprechlichen Feuer der Verdammnis erretten? Wer soll mich Elenden erretten?

entbehren *do without*
erretten *rescue*

Wo ist meine Zuflucht? Wo ist meine feste Burg?

die Zuflucht *shelter* die feste Burg *strong citadel* (*place of refuge*)

Ich schäme mich, die Seligen Gottes anzusprechen. Sie würden mir keine Antwort geben, und ich muß mein Gesicht vor ihnen verhüllen, damit ich die Freude der Auserwählten nicht sehen muß.

die Seligen *the blessed* ansprechen *speak to*
verhüllen *cover*
die Auserwählten *the elect*

Ach, was klage ich, da es doch keine Hilfe gibt! Amen, Amen. Ich habe es so haben wollen. Nun muß ich den Spott zum Schaden haben.

muß . . . haben *insult is added to injury*

Doktor Fausts greuliches und schreckliches Ende

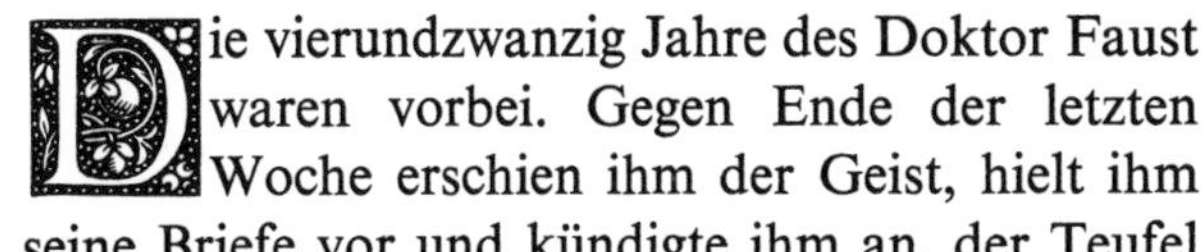

Die vierundzwanzig Jahre des Doktor Faust waren vorbei. Gegen Ende der letzten Woche erschien ihm der Geist, hielt ihm seine Briefe vor und kündigte ihm an, der Teufel werde in der folgenden Nacht seinen Leib holen.

vorbei *over*
vorhalten *hold up to*
ankündigen *announce*

Doktor Faust schluchzte die ganze Nacht. Da erschien ihm der Geist zum zweiten Mal und sprach: „Mein Faust, sei doch nicht so verzagt! Auch wenn du deinen Leib verlierst, ist es noch lange dahin, bis man über dich Gericht halten wird. Am Ende mußt du doch sterben, auch wenn du viele hundert Jahre lebtest. Müssen doch alle nichtchristlichen Menschen sterben, auch wenn sie Kaiser waren, und müssen in die gleiche Verdammnis. Und du weißt ja noch gar nicht, was dir auferlegt ist. Sei beherzt! Hat dir nicht der Teufel versprochen, er würde dir einen stählernen Leib und eine stählerne Seele geben, damit du nicht leidest wie andere Verdammte?"

schluchzen *sob*
verzagt *fainthearted*
lange dahin *a long time* Gericht halten über *sit in judgment on*
auferlegt *imposed* beherzt *stouthearted* stählern *steely*

Solchen Trost gab er ihm, doch war alles falsch und entgegen der Heiligen Schrift.

der Trost *comfort*
entgegen *contrary to*

Doktor Faust wußte, daß er sich dem Teufel verschrieben hatte und nun mit seiner Haut würde bezahlen müssen. An demselben Tag, an dem der Geist ihm angekündigt hatte, der Teufel werde ihn holen, ging er zu seinen vertrauten Freunden, den Studenten. Er bat sie, mit ihm in das Dorf Rimlich zu gehen, das eine halbe Meile von Wittenberg entfernt liegt. Er wolle mit ihnen spazierengehen und sie dort zu einem Essen einladen. Die Studenten nahmen die Einladung gerne an.

die Haut *skin*
vertraut *close*
spazierengehen *take a walk*

Nachdem sie zu Abend gegessen und auch den Schlaftrunk schon hinter sich hatten, zahlte Doktor Faust und bat die Studenten, mit ihm in einen anderen Raum zu gehen. Er hätte ihnen etwas zu erzählen.

zahlen *pay*

Fausts Rede an die Studenten

der Vertraute *intimate friend*

nirgend anders als *nowhere but*

in schlechte Gesellschaft geraten *get into bad company*

der Sinn steht danach *(one) hankers after*

bis auf *with the exception of* verlaufen *elapse*

gewärtig sein *expect*

einen Trunk tun *have a drink*

das Hinscheiden *demise, death*

verbergen *hide from*

in Gutem gedenken *think well of*

übel nehmen *take amiss*

jemals *ever* kränken *hurt*

was . . . betrifft *in regard to*

„Meine lieben Vertrauten!" begann Doktor Faust. „Seit vielen Jahren wißt ihr, was für ein Mann ich bin. Ihr wißt von meiner Zauberei und von meinen vielen Künsten, die aber von nirgend anders als vom Teufel herkommen. Ich war in schlechte Gesellschaft geraten, die sich mit teuflischen Dingen beschäftigte. Aber auch mein eigener Sinn stand danach. Mein eigenes Blut, mein gottloser Wille, meine teuflischen Gedanken trieben mich dazu, daß ich mich dem Teufel verschrieben habe. Nach vierundzwanzig Jahren sollen ihm mein Leib und meine Seele gehören. Und die vierundzwanzig Jahre sind bis auf diese letzte Nacht verlaufen. Das Stundenglas steht mir vor Augen. Wenn es ausgelaufen ist, muß ich gewärtig sein, daß mich der Teufel holt. Denn sogar zweimal habe ich ihm Leib und Seele verschrieben.

„Darum habe ich euch, meine lieben Freunde, vor meinem Ende zu mir gebeten; denn ich wollte zum Abschied noch einmal einen Trunk mit euch tun. Ich wollte euch mein Hinscheiden nicht verbergen. Ich bitte euch, all die andern meiner Freunde und die, die meiner in Gutem gedenken, herzlich von mir zu grüßen. Nehmt mir nichts übel! Wenn ich euch jemals gekränkt haben sollte, so verzeiht mir bitte!

„Was meine Abenteuer der letzten vierundzwanzig Jahre betrifft, so werdet ihr sie nach

meinem Hinscheiden aufgezeichnet finden. Laßt euch mein schreckliches Ende euer Lebtag ein warnendes Beispiel sein. Habt Gott vor Augen! Bittet ihn, euch vor des Teufels Trug zu beschützen
5 und euch nicht in Versuchung zu führen! Fallt nicht von Gott ab, wie ich, der allem abgesagt hat: der Taufe, dem Sakrament Christi, Gott selbst, allem himmlischen Heer und den Menschen. Abgesagt habe ich einem solchen Gott, der
10 nicht wünscht, daß auch nur einer verloren sei.

„Laßt euch nicht durch schlechte Gesellschaft verführen! Besucht fleißig die Kirche, streitet und siegt gegen den Teufel!

„Zuletzt möchte ich euch bitten: geht ruhig
15 zu Bett und macht euch keine Gedanken, auch wenn ihr Lärm und Tumult im Hause hört. Erschreckt nicht; denn euch geschieht nichts Böses! Wenn ihr meinen toten Leib findet, laßt ihn bestatten. Denn ich sterbe als ein böser und guter
20 Christ. Als guter Christ, weil ich aufrichtige Reue empfinde, und aus tiefstem Herzen um Gnade bitte, meine Seele möge errettet werden; als böser Christ, weil ich weiß, daß der Teufel meinen Leib holen wird, und ich ihn ihm gerne lassen werde.
25 Ließe er mir nur meine arme Seele!

„Geht zu Bett, ich bitte euch! Ich wünsche euch eine gute Nacht. Für mich wird es eine böse und schreckliche werden."

Doktor Faust hatte beherzt gesprochen, damit
30 die Studenten nicht erschrecken und verzagt werden sollten. Sie wunderten sich sehr, daß Faust so verwegen gewesen war, sich nur um Schelmerei, Neugier und Zaubergaukelei willen in solche Gefahr für Leib und Seele zu begeben.

35 Er tat ihnen herzlich leid; denn sie hatten ihn gern und sprachen: „Ach Faust, warum habt ihr so lange geschwiegen und uns nichts gesagt? Wir hätten euch durch gelehrte Theologen aus dem Netz des Teufels gerettet. Nun ist es aber zu
40 spät."

„Ich durfte es nicht tun", antwortete Faust. „Oft habe ich es vorgehabt, mich an fromme

aufgezeichnet *written down*
euer Lebtag *all your life* ein warnendes Beispiel *an awful example*
der Trug *deception, fraud*
die Taufe *baptism*
das Heer *host*
streiten *struggle*
siegen *triumph*
sich Gedanken machen *be concerned*
laßt . . . bestatten *have buried*
aufrichtig *honest* die Reue *remorse*
erretten *save*
beherzt *stoutheartedly*
verzagt *fainthearted*
verwegen *foolhardy* um . . . willen *for the sake of* die Schelmerei *mischievous amusement* die Neugier *curiosity* sich in Gefahr begeben *venture into danger*
das Netz *net*
vorhaben *have in mind*

Menschen um Rat und Hilfe zu wenden. Ja, mein Nachbar hat mich selbst einmal angesprochen und mir geraten, ich möge mich von der Zauberei abwenden und mich zu Gott bekehren. Aber als ich es tun wollte, kam sofort der Teufel und wollte mich holen, so wie er es heute Nacht tun wird. Er drohte, mir sofort den Garaus zu machen, wenn ich mich Gott zuwende."

drohen *threaten* den Garaus machen *finish (a person) off* zuwenden *turn to*
vernehmen *hear*

Als die Studenten das vernommen hatten, sagten sie: da er schon gewärtig sein muß, daß der Teufel seinen Leib hole, soll er doch zu Gott beten, Ihn um seines lieben Sohnes Jesu Christi willen um Verzeihung bitten und sprechen: „Sei mir gnädig! Richte mich nicht; denn ich kann vor Dir nicht bestehen! Meinen Leib muß ich dem Teufel lassen, aber meine Seele sollst du doch erhalten."

gnädig sein *have mercy on* richten *pass sentence on* bestehen vor Dir *be justified in Thy sight*

Doktor Faust versprach ihnen, auf diese Weise zu beten. Doch es ging ihm wie Kain, der auch meinte, seine Sünden wären so schwer, daß Gott sie ihm nicht vergeben könne. Faust fürchtete, der Pakt, den er geschlossen, wiege so schwer, daß Rettung unmöglich sei.

schwer *serious, grievous*

schwer wiegen, daß *tip the scales so that* die Rettung *redemption* segnen *bless*

Die Studenten segneten Faust und weinten. Er blieb allein im Raum, während die andern zu Bett gingen. Keiner von ihnen konnte jedoch schlafen; jeder wollte den Ausgang hören.

der Ausgang *end*

Der Tod in verschiedenen Gestalten

Zwischen zwölf und ein Uhr fuhr ein heftiger Sturmwind gegen das Haus, als sollte alles zugrunde gehen und das Haus dem Boden gleich gemacht werden. Die Studenten erschraken, 5 sprangen aus den Betten und begannen, einander zu trösten. Sie wollten nicht aus ihren Räumen; nur der Wirt flüchtete aus dem Haus.

Aus dem Zimmer Fausts hörte man ein greuliches Pfeifen und Zischen, als ob alles voll 10 gefährlicher Schlangen und Ottern wäre. Faust begann, um Hilfe zu schreien, aber nur mit halber Stimme. Bald hörte man ihn nicht mehr. Die Studenten konnten die ganze Nacht nicht schlafen.

Als es Tag wurde, gingen sie in Fausts Zim- 15 mer, fanden ihn aber nicht. Der ganze Raum war mit Blut bespritzt. Das Hirn klebte an der Wand, weil ihn der Teufel von einer Wand zur andern geschlagen hatte. Seine Augen und einige Zähne lagen auf dem Boden. Es war ein greulicher An- 20 blick. Sie suchten seinen Körper und fanden ihn endlich draußen. Er lag auf dem Mist und war furchtbar anzusehen, da der Kopf und alle Glieder nur lose am Rumpf hingen.

Die Studenten veranlaßten, daß er in dem 25 Dorf bestattet wurde. Darauf gingen sie nach Wittenberg zurück zu Fausts Haus, wo sie seinen Famulus trafen. Auch fanden sie dort diese Historie von Doktor Faust vor, wie er sie selbst geschrieben hatte, bis auf die Schilderung seines 30 Endes, welche die Studenten hinzufügten. Auch sein Famulus hat die Geschichte in einem anderen Buch niedergeschrieben.[1]

Am Tag von Fausts Tod verschwand die verzauberte Helena mit ihrem Sohn. In Fausts 35 Haus aber war es so unheimlich, daß niemand darin wohnen wollte. In der Nacht erschien Faust mitunter leibhaftig seinem Famulus Christoph Wagner und offenbarte ihm viele geheime Dinge. Es geschah auch, daß Vorübergehende nachts die

fahren *sweep*
zugrunde gehen *perish*
dem Boden gleich machen *raze to the ground*
trösten *comfort*
pfeifen *whistle* zischen *hiss*
die Otter *adder*
mit halber Stimme *in an undertone*
bespritzt *splashed* das Hirn *brain* kleben *stick*
schlagen *dash*
der Anblick *sight*
der Mist *manure*
das Glied *limb* lose *loose* der Rumpf *rump*
veranlassen *bring about*
bestatten *bury*
vorfinden *find*
bis auf *except* die Schilderung *description* hinzufügen *add*
niederschreiben *write down*
unheimlich *eerie*
mitunter *occasionally* leibhaftig *in person* offenbaren *reveal* geheim *secret* der Vorübergehende *passerby*

[1]Tatsächlich erschien 1593 ein sogenanntes „Wagner-Buch" in Deutschland. Es enthält interessanterweise auch amerikanische Episoden.

tatsächlich *actually*
interessanterweise *interestingly enough*

Erscheinung des Doktor Faust aus einem Fenster des Hauses blicken sahen.

Damit endet die wahre Geschichte von Doktor Faust und seiner Zauberei. Alle Christen, besonders aber die, welche hochmütig, vorwitzigen 5 und trotzigen Sinnes sind, mögen daraus lernen, gottesfürchtig zu werden, Zauberei, Beschwörung und anderes Teufelswerk bleiben zu lassen, den Teufel nicht zu Gast zu laden, noch ihm Möglichkeiten zu geben, wie Faust es getan hat. Sein Pakt 10 sei ein schreckliches und warnendes Beispiel! Gott allein vor Augen zu haben und zu verehren, ihn allein anzubeten und zu lieben von ganzem Herzen und aus tiefster Seele, dagegen dem Teufel und seinem Anhang abzusagen und mit Christus 15 in die ewige Seligkeit einzugehen, Amen, das wünsche ich jedem aus tiefstem Herzensgrund.

Amen.

vorwitzig *inquisitive, prying*
trotzig *obstinate*
bleiben lassen *not have anything to do with*
die Möglichkeit *opening*
verehren *revere*
von . . . Seele *with all one's heart and soul* der Anhang *hangers-on*
eingehen in *partake of* aus . . . Herzensgrund *from the bottom of my heart*

=3=

Faust in der Literatur

Erster Theil

DEr Warhaffti-
gen Historien von den grewlichen
vnd abschewlichen Sünden vnd Lastern/
auch von vielen wunderbarlichen vnd seltza-
men ebentheuren: So

D. Iohannes Faustus

Ein weitberuffener Schwartzkünst-
ler vnd Ertzzäuberer/ durch seine Schwartz-
kunst/ biß an seinen erschreckli-
chen end hat getrieben.

Mit nothwendigen Erinnerungen vnd schönen exempeln/ menniglichem zur Lehr vnd
Warnung außgestrichen vnd
erklehret

Durch
Georg Rudolff Widman.

Gedruckt zu Hamburg/
Anno 1599.

Ex Officina HERMANNI MOLLERI.

Titelblatt des Volksbuches in der Bearbeitung von Pfitzer, 1674

Holzschnitt: Christopher Marlowe, „The Tragicall History of D. Faustus," 1631

Bis Goethe

Kurz nach Erscheinen des deutschen Volksbuches kamen drei Faust-Werke in englischer Sprache heraus. Das eine war eine freie Übersetzung des Originals mit dem Titel „The Historie of the Damnable Life and Deserued Death of Doctor Ion Faustus." Der Übersetzer nannte sich P. F. Gent. Da „Gent" kein Familienname ist, sondern „Gentleman" bedeutet, ist uns der Name des Übersetzers unbekannt. „The Historie . . ." erschien in einer Auflage nach der anderen, denn in England sowie in den amerikanischen Kolonien wurde es zu einem vielverlangten Buch. In England kam 1588/89 auch eine Faust-Ballade heraus: „A Ballad of the Life and Deathe of Doktor FFAUSTUS the Great Cunngerer."

Um dieselbe Zeit schrieb der Zeitgenosse Shakespeares, Christopher Marlowe, das Drama „The Tragicall History of D. Faustus." Ein Biograph des englischen Dichters schrieb, Marlowe habe erkannt, daß er selbst ein Gegenstück zu

die Auflage *edition*

das vielverlangte Buch *best seller*

der Zeitgenosse *contemporary*

erkennen *recognize* das Gegenstück *counterpart*

Die Historie

Van Doctor

JOHANNES FAUSTUS.

Die een uitneemende groote Toveraar in zwarte Konsten was Van zijn Duivelsche verschrijvinge / van zijn Onchristelijk Leven / wonderlyke Avontuuren / en van zijn schrik-kelijk en gruwelijk Einde en Afscheid.

Meestendeel uit zijn eigen nagelaeten Schriften byeen vergadert: Allen Hovaerdigen / Opgeblaesen / Stoute en Godlooze Menschen als een schrikkelyk Exempel en Waerschouwinge.

Uit de Hoogduitsche Exemplaar overgezien, op veele plaatzen gecorrigeert, en met schoone Figuuren vercierd.

Titelblatt einer holländischen Ausgabe vom Jahre 1764

Faust sei. Beide studierten erst Theologie und wandten sich dann von der Kirche ab. Beide beschäftigten sich mit Magie und Zauberformeln und kamen in üblen Ruf. Im übrigen weiß man über das
5 Leben Christopher Marlowes nicht viel mehr als über das Leben des historischen Faust. Und was wissen wir über den Tod der beiden? Der Sage nach starb Faust keines natürlichen Todes. Von Marlowe wissen wir, daß er keines natürlichen Todes
10 starb; er wurde erstochen.

Marlowes Werk ist ein Drama, das Volksbuch eine Frühform des Romans. Die Handlung von Marlowes Tragödie berührt sich mit der des Volksbuchs, unterscheidet sich aber in wesent-
15 lichen Punkten. Der englische Dichter moralisiert nicht; er vertieft die Tragik eines Menschen, der für ein Vergehen in dieser Welt in alle Ewigkeit leiden muß. In der deutschen Prosa-Fassung ist Helena ein Teufel in der Gestalt einer Frau; im
20 Blankversdrama Marlowes ist sie die Personifikation weiblicher Schönheit: „The face that launched a thousand ships" („dies Antlitz war's, das tausend Schiffe trieb").

Grandios ist der Eingangsmonolog mit Fausts
25 Klagen über die Enge des Daseins und über seine Verzweiflung. Grandios ist die Szene, in der der Dichter Fausts letzte Stunden mit der Uhr bezeichnet, bis der Teufel ihn um Mitternacht holt. Marlowes Tragödie ist die erste poetische Frucht
30 der Faust-Legende, wie sie im Volksbuch zu lesen ist.

Inzwischen erschien in Frankreich die „Histoire . . . de Jean Faust, traduit de L'Allemand", in Holland „Die Historie van Dr. J.
35 Faustus . . . uit die Hooch-Duytschen oversien . . ." In Deutschland kamen von 1588 bis 1592 vierzehn Auflagen des Originals, mit weiteren Anekdoten, und eine plattdeutsche Übersetzung heraus. 1599 schrieb G.R. Widmann ein Faustbuch.
40 Durch neues Material, das Widmann gesammelt hatte, wurde sein Werk dicker, aber nicht wertvoller als das Volksbuch.

in üblen Ruf kommen *get a bad reputation*

kein natürlicher Tod *a violent death*

erstechen *stab to death*

die Handlung *plot, action*

sich berühren *be in accord with*

sich unterscheiden *differ*

die Tragik *tragedy*

das Vergehen *offense*

die Prosa-Fassung *prose version*

weiblich *feminine*

der Eingangsmonolog *opening monologue* die Klage *lament* die Enge *confined character* das Dasein *life*

bezeichnen *designate*

inzwischen *meanwhile*

plattdeutsch *Low German*

sammeln *collect*

wertvoll *valuable*

überschwemmen *deluge*

beliebt *popular*

das Puppenspiel *puppet show*

das Schicksal *fate*

das Mechanische *mechanical aspect* unheimlich *eerie* die Wirkung *effect* ereilen *overtake* das Schaudern *shudder*

Judicatus . . . es *You are judged! You are damned to all eternity!*

auftreten *appear*

der Kavalier *cavalier, gentleman* der Jäger *hunter* die Stirn *forehead*

meist *generally*

uralt *ancient*

der Reichtum *wealth* der Ruhm *fame*

In den nächsten zwei Jahrhunderten überschwemmte eine Flut von Faustbüchern Deutschland und andere Länder Europas. Sehr beliebt waren die Puppenspiele. Für die Menschen, die an einen leibhaftigen Teufel glaubten, war das Schicksal Fausts eine schreckliche Möglichkeit. Auch hatte das Mechanische der Puppen eine unheimliche Wirkung dabei; automatisch ereilt Faust das Schicksal. Mit Schaudern hörte man die lateinischen Worte, die am Ende gesprochen wurden: „Fauste! Fauste! Judicatus es! In aeternum damnatus es!"

In den Puppenspielen erscheint Mephistopheles nicht in der Gestalt eines Mönchs wie im Volksbuch. Zuweilen tritt er in Tierform auf, zuweilen als Kavalier, Jäger oder einfach als junger Mann, oft mit einem Horn an der Stirn. Faust ist meist arm. Für Geld macht er alles. Vor allem will er viel essen und trinken. Er hat viele Wünsche, uralte Wünsche der Menschen. Er begehrt Macht, Reichtum, Ruhm, Genuß und, zuweilen, Wissen.

Zwei Illustrationen zum Puppenspiel von Dr. Faust

Fauste! Fauste! Praeparate ad mortem!

In der Rekonstruktion eines dieser Puppenspiele ist ein charakteristischer Eingangsmonolog, den Faust in seinem Studierzimmer spricht:

So weit hab ichs nun mit Gelehrsamkeit gebracht,
5 *Daß ich allerorten werd ausgelacht.*
Alle Bücher durchstöbert von vorne bis hinten,
Und kann doch den Stein der Weisen nicht finden.
Jurisprudenz, Medizin, alles umsonst,
Kein Heil als in der nekromantischen Kunst.
10 *Was half mir das Studium der Theologie?*
Meine durchwachten Nächte, wer bezahlt mir die?
Keinen heilen Rock hab ich mehr am Leibe
Und weiß vor Schulden nicht, wo ich bleibe.
Ich muß mich mit der Hölle verbünden
15 *Die verborgenen Tiefen der Natur zu ergründen.*
Aber um die Geister zu zitieren,
Muß ich mich in der Magie informieren.

die Gelehrsamkeit *learning* so weit bringen *succeed* allerorten *everywhere* durchstöbern *rummage through* von vorne bis hinten *from cover to cover* der Stein der Weisen *philosophers' stone* umsonst *in vain* das Heil *luck* nekromantisch *of magic*

durchwacht *lying awake*

heil *without a hole* der Rock *coat*

die Schuld *debt*

sich verbünden *form an alliance*

verborgen *concealed* ergründen *explore* zitieren *invoke*

die Aufklärung *enlightenment*
beben *tremble*
vormals *formerly*
aufgeklärt *enlightened*
das Märchen *fairy tale*

Im Zeitalter der Aufklärung im achtzehnten Jahrhundert schrieb Johann Christoph Gottsched, der „Papst“ der deutschen Literatur und das deutsche Gegenstück zu dem „Papst“ der englischen Literatur, Samuel Johnson: „Wie bebte vormals Stadt und Land . . ./Wenn Faust auf seinem Mantel fuhr“, aber nun sähen aufgeklärte Menschen „das Märchen von D. Faust“ nicht gern. Gottsched bebte nicht und sah es nicht gern, aber Tausende bebten immer noch und sahen es immer noch gern.

In manchen Puppenspielen gibt es wie im Volksbuch eine Szene, in der Faust höllische Geister befragt, wie schnell sie seien. Man findet

Ein Puppenspiel von Dr. Faust, Breslau, 1833

immer neue Bilder. Die Schnelligkeit der Geister ist die eines Vogels, eines Fisches, des Donners, des Blitzes, des Windes, der Gedanken der Menschen.

5 Im achtzehnten Jahrhundert schrieb Gotthold Ephraim Lessing, zwei Jahrzehnte bevor sich Goethe mit dem Stoff beschäftigte, eine Faustszene, in der ein Geist so schnell ist, „nicht mehr und nicht weniger, als der Übergang vom Guten 10 zum Bösen.“ „Du bist mein Teufel“, ruft Lessings Faust. „So schnell als der Übergang vom Guten zum Bösen!—Ja, der ist schnell, schneller ist nichts als der! . . . Ich habe es erfahren, wie schnell er ist! Ich habe es erfahren!“

15 Über das Thema schrieb Lessing: „Wie verliebt war Deutschland, und ist es zum Teil noch, in seinen Doktor Faust.“ Als sein Freund, der aufgeklärte Philosoph Moses Mendelssohn, erfuhr, daß er an einem Faust arbeitete, reagierte er 20 wie Gottsched: „Ich möchte es nicht gern bei dem Namen nennen, denn ich zweifle, ob Sie ihm den Namen Faust lassen werden. Eine einzige Exklamation: O Faustus! Faustus! könnte das ganze Parterre lachen machen.“

25 Man glaubte im Zeitalter der Aufklärung an keine Geister, aber Lessing war mehr als Kind der Aufklärung. Er spürte, daß man den Geheimnissen des Lebens mit der Vernunft allein nicht beikommen könne. Und „der Same“, an Geister 30 „zu glauben, liegt in uns allen“, schrieb er. Im folgenden Jahrhundert sollte der französische Dichter Baudelaire in seinem Werk „Les Fleurs du Mal“ schreiben: „Tout le monde le [diable] sent et personne n'y croit. Sublime subtilité du Diable.“

35 Für Lessing war es vor allem das Motiv des Wissensdurstes, das ihn anzog. Obwohl Lessings Werk nur Fragment ist, ersehen wir aus Briefen und aus Berichten von Freunden: Sein Faust sollte keine Tragödie werden, weil ein Mensch das Ver- 40 langen nach Wahrheit hat. „Die Gottheit hat dem Menschen nicht den edelsten der Triebe gegeben, um ihn ewig unglücklich zu machen.“

die Schnelligkeit *speed*

der Übergang *transition*

das Thema *subject* verliebt in *in love with* zum Teil *to some extent*

reagieren *react*

zweifeln *doubt*

einzig *single*

das Parterre *theatre, public*

spüren *sense* das Geheimnis *secret* die Vernunft *reason* beikommen *get at* der Same *seed*

Les . . . Mal *The Flowers of Evil* Tout . . . Diable *Everyone senses that the devil exists but no one believes in him. Sublime cunning of the devil.*

anziehen *attract*

das Verlangen nach *longing for*

die Gottheit *deity*

edel *noble* der Trieb *impulse*

Goethe,
von William Ehrich,
1950

Goethes Faust

Die bedeutendste Gestaltung des Fauststoffes ist „Faust. Eine Tragödie" von Johann Wolfgang von Goethe. Das Lebenswerk des Dichters besteht aus zwei Teilen. Der erste Teil enthält, neben einer „Zueignung" und einem „Vorspiel auf dem Theater", einen „Prolog im Himmel" und fünfundzwanzig Szenen; der zweite Teil enthält fünf Akte. In den beiden Teilen sind 12 111 Zeilen. Eine kurze Szene ist in Prosa, alle anderen in Versen.

Die Hauptmotive in Goethes Faust sind Fausts Tätigkeit, sein Irren und sein unermüdlichen Streben.

Wir bringen Auszüge, die wesentliche Momente des Goetheschen Faust darstellen. Das Folgende ist eine Einführung, die zum Lesen des ganzen „Faust" Goethes führen soll.

Auf der einen Seite steht der Goethesche

bestehen aus *consist of*
die Zueignung *dedication*
das Vorspiel *curtain raiser*

die Tätigkeit *activity* irren *err*
unermüdlich *untiring*
der Auszug *excerpt* wesentlich *significant* darstellen *represent*
die Einführung *introduction*

Text mit deutsch-englischen Glossen, auf der anderen eine von über sechzig Übersetzungen des Faust ins Englische. Es ist die Übersetzung der Engländerin Anna Swanwick. Bei veralteten eng- (veraltet *archaic*)
5 lischen Wörtern stehen Glossen auch hier.

Literatur heißt in der deutschen Sprache Dichtung und auch Wortkunst. Wenn man Dichtung zu übersetzen sucht, erkennt man unter (erkennen *realize*) anderem, was Wortkunst bedeutet.

0 Die Übersetzung Anna Swanwicks und die Glossen stehen beide im Dienst des Verstehens von Goethes „Faust" im ursprünglichen Wortlaut. (der Wortlaut *wording*) Die Sprache des Goetheschen „Faust" ist eine der schönsten der Welt.

Prolog im Himmel, nach einer Federzeichnung Goethes

15 Es folgt ein Auszug aus dem „Prolog im Himmel."

Im Buch Hiob der Bibel unterhalten sich (sich unterhalten *converse*) Gott und der Satan über den Knecht des Herrn, (der Knecht *servant*) Hiob, im „Prolog im Himmel" über die Mensch- (die Menschheit *mankind*)
20 heit und über den Knecht des Herrn, Faust.

PROLOG IM HIMMEL

MEPHISTOPHELES

von . . . Schlag *of the same character*

Der kleine Gott der Welt bleibt stets von gleichem Schlag

wunderlich *odd*

Und ist so wunderlich als wie am ersten Tag.
Ein wenig besser würd' er leben,

den . . . Himmelslichts *gleam of heavenly light*

Hätt'st du ihm nicht den Schein des Himmelslichts gegeben, 5

die Vernunft *reason*

Er nennt's Vernunft und braucht's allein,
Nur tierischer als jedes Tier zu sein.

mit . . . Gnaden *with permission of Your Grace* langbeinig *long-legged* die Zikade *grasshopper*

Er scheint mir, mit Verlaub von Euer Gnaden,
Wie eine der langbeinigen Zikaden, 10
Die immer fliegt und fliegend springt
Und gleich im Gras ihr altes Liedchen singt;
Und läg' er nur noch immer in dem Grase!

der Quark *rubbish* begraben *dig, bury*

In jeden Quark begräbt er seine Nase.

DER HERR

Hast du mir weiter nichts zu sagen? 15

anklagen *complain*

Kommst du nur immer anzuklagen?
Ist auf der Erde ewig dir nichts recht?

MEPHISTOPHELES

herzlich *extraordinarily*

Nein, Herr! Ich find' es dort, wie immer, herzlich schlecht.

dauern *make sorry* die Jammertage *days of misery* plagen *torment*

Die Menschen dauern mich in ihren Jammertagen; 20
Ich mag sogar die Armen selbst nicht plagen.

DER HERR

Kennst du den Faust?

MEPHISTOPHELES

Den Doktor?

DER HERR

der Knecht *servant*

Meinen Knecht!

PROLOGUE IN HEAVEN

MEPHISTOPHELES

The little world-god still the selfsame stamp retains,
And is as wondrous now as on the primal day.
Better he might have fared, poor wight, — *wight* creature
Hadst thou not given him a gleam of heavenly light;
5 *Reason he names it and doth so*
Use it than brutes more brutish still to grow.
With deference to your grace, he seems to me
Like any long-legged grasshopper to be,
Which ever flies, and flying springs,
10 *And in the grass its ancient ditty sings.*
Would he but always in the grass repose!
In every heap of dung he thrusts his nose.

THE LORD

Hast thou naught else to say? Is blame
In coming here, as ever, thy sole aim?
15 *Does nothing on the earth to thee seem right?*

MEPHISTOPHELES

No, Lord! I find things there in miserable plight.
Men's wretchedness in sooth I so deplore, — *sooth* truth
Not even I would plague the sorry creatures more.

THE LORD

Know'st thou my servant, Faust?

MEPHISTOPHELES

20 *The doctor?*

THE LORD

Right.

MEPHISTOPHELES

fürwahr *indeed*	Fürwahr, er dient Euch auf besondre Weise!
der Tor *fool*	Nicht irdisch ist des Toren Trank noch Speise!
die Gährung *ferment* in die Ferne *afar* die Tollheit *frenzy* bewußt *aware*	Ihn treibt die Gährung in die Ferne;
	Er ist sich seiner Tollheit halb bewußt:
fordern *demand*	Vom Himmel fordert er die schönsten Sterne 5
die Lust *pleasure*	Und von der Erde jede höchste Lust,
alle . . . Ferne *all that's near and far* befriedigen *satisfy* tiefbewegt *deeply troubled*	Und alle Näh und alle Ferne
	Befriedigt nicht die tiefbewegte Brust.

DER HERR

verworren *confusedly*	Wenn er mir jetzt auch nur verworren dient,
	So werd ich ihn bald in die Klarheit führen. 10
grünen *become green*	Weiß doch der Gärtner, wenn das Bäumchen grünt,
die Blüte *blossom* künftig *future* zieren *adorn*	Daß Blüt und Frucht die künftgen Jahre zieren.

MEPHISTOPHELES

wetten *bet, wager*	Was wettet Ihr? den sollt Ihr noch verlieren,
die Erlaubnis *permission*	Wenn Ihr mir die Erlaubnis gebt, 15
sacht *gently*	Ihn meine Straße sacht zu führen!

DER HERR

Solang er auf der Erde lebt,
Solang sei dir's nicht verboten.
Es irrt der Mensch, solang er strebt.

MEPHISTOPHELES

	Da dank' ich Euch; denn mit den Toten 20
sich befangen *occupy oneself*	Hab' ich mich niemals gern befangen.
die Wange *cheek*	Am meisten lieb' ich mir die vollen, frischen Wangen;
der Leichnam *corpse*	Für einen Leichnam bin ich nicht zu Haus:
	Mir geht es wie der Katze mit der Maus. 25

DER HERR

überlassen *leave*	Nun gut, es sei dir überlassen!
abziehen *divert* der Urquell *fountainhead, God* erfassen *grasp*	Zieh' diesen Geist von seinem Urquell ab
	Und führ' ihn, kannst du ihn erfassen,
herab *down*	Auf deinem Wege mit herab—
beschämt *ashamed, abashed* bekennen *admit* der Drang *striving, aspiration*	Und steh' beschämt, wenn du bekennen mußt: 30
	Ein guter Mensch, in seinem dunklen Drange,
	Ist sich des rechten Weges wohl bewußt.

MEPHISTOPHELES

He serves thee in strange fashion, as I think.
Poor fool! Not earthly is his food or drink.
An inward impulse hurries him afar,
Himself half conscious of his frenzied mood;
5 *From heaven claimeth he its brightest star,*
And from the earth craves every highest good,
And all that's near, and all that's far,
Fails to allay the tumult in his blood.

THE LORD

Though now he serves me with imperfect sight,
10 *I will ere long conduct him to the light.*
The gardener knoweth, when the green appears,
That flowers and fruit will crown the coming years.

MEPHISTOPHELES

What wilt thou wager? Him thou yet shall lose,
If leave to me thou wilt but give,
15 *Gently to lead him as I choose!*

THE LORD

So long as he on earth does live,
So long 'tis not forbidden thee.
Man still must err, while he doth strive.

MEPHISTOPHELES

I thank you; for not willingly
20 *I traffic with the dead, and still aver*
That youth's plump blooming cheek I very much
prefer.
I'm not at home to corpses; 'tis my way,
Like cats with captive mice to toy and play.

THE LORD

25 *Enough! 'tis granted thee. Divert*
This mortal spirit from his primal source;
Him canst thou seize, thy power exert
And lead him on thy downward course,
Then stand abashed, when thou perforce must own,
30 *A good man, in the direful grasp of ill,*
His consciousness of right retaineth still.

dauern *take*
die Wette *wager* bange sein *be afraid* der Zweck *aim* gelangen zu *attain* erlauben *permit* aus voller Brust *with enthusiasm* der Staub *dust* mit Lust *with zest*
die Muhme *relative*

MEPHISTOPHELES

Schon gut! Nur dauert es nicht lange.
Mir ist für meine Wette gar nicht bange.
Wenn ich zu meinem Zweck gelange,
Erlaubt Ihr mir Triumph aus voller Brust.
Staub soll er fressen, und mit Lust, 5
Wie meine Muhme, die berühmte Schlange!

auch . . . frei *quite freely*
deinesgleichen *your kind* hassen *hate* verneinen *negate, deny*
der Schalk *ironical jester* zur Last sein *disturb* die Tätigkeit *activity* erschlaffen *slacken*
die unbedingte Ruh *absolute rest*
der Geselle *companion*
reizen *stir up* schaffen *function*

DER HERR

Du darfst auch da nur frei erscheinen;
Ich habe deinesgleichen nie gehaßt.
Von allen Geistern, die verneinen,
Ist mir der Schalk am wenigsten zur Last. 10
Des Menschen Tätigkeit kann allzuleicht erschlaffen,
Er liebt sich bald die unbedingte Ruh;
Drum geb' ich gern ihm den Gesellen zu,
Der reizt und wirkt und muß als Teufel schaffen.— 15

MEPHISTOPHELES

Agreed!—the wager will be quickly won,
For my success no fears I entertain;
And if my end I finally should gain,
Excuse my triumphing with all my soul.
5 *Dust he shall eat, ay, and with relish take,*
As did my cousin, the renownèd snake.

THE LORD

Here too thou'rt free to act without control,
I ne'er have cherished hate for such as thee.
Of all the spirits who deny,
10 *The scoffer is least wearisome to me.*
Ever too prone is man activity to shirk,
In unconditioned rest he fain would live;
Hence this companion purposely I give,
Who stirs, excites, and must, as devil, work.

fain rather

Prolog im Himmel

Der „Prolog im Himmel“ enthält einen Schlüssel.

Zwei verschiedene Auffassungen vom kleinen Gott der Welt sind hier vertreten.

Nach der Auffassung Mephistos gleicht der Mensch einer Zikade. Mit Hilfe der Vernunft sucht er zu springen, zu fliegen, fällt aber immer wieder ins Gras zurück; er führt ein zweckloses Leben.

Nach der Auffassung des Herrn gleicht der Mensch, Faust, einem Baum, der Frucht und Blüte trägt. Der dunkle Instinkt dieses Menschen mit der Doppelnatur ist gut, auch wenn der Drang dunkel ist.

Die Macht der Verneinung, des Bösen, hat die Aufgabe, den Menschen zur Tätigkeit zu reizen.

In der Szene „Nacht“, der Zeit der Geisterbeschwörungen, sitzt Faust an seinem Pult im Studierzimmer. Er ist arm, er ist Universitätsprofessor, weiß sehr viel, aber im Grunde nichts. Symbole toten Wissens—Bücher, Gläser, Skelette—stehen in seinem Zimmer. Er ist verzweifelt.

Goethe hat die Tradition des Eingangsmonologs übernommen, die Selbst-Schilderung aber unermeßlich vertieft.

der Schlüssel *key*
die Auffassung *conception*
vertreten *represented*
gleichen *resemble*
die Zikade *grasshopper*
zwecklos *purposeless*
dunkel *obscure*
die Verneinung *negation, denial*
die Aufgabe *task*
reizen *stir up*
der Pult *desk*
im Grunde *fundamentally*
das Glas *test tube* das Skelett *skeleton*
die Schilderung *portrayal*
vertiefen *deepen*

Faust in seinem Studierzimmer

NACHT

In einem hochgewölbten, engen, gotischen Zimmer,
FAUST, *unruhig, auf einem Sessel am Pulte.*

hochgewölbt *high-vaulted* eng *narrow* gotisch *Gothic* unruhig *restless* der Sessel *armchair*

FAUST

Habe, nun, ach, Philosophie,
Juristerei und Medizin
Und leider auch Theologie 5
Durchaus studiert, mit heißem Bemühn.
Da steh' ich nun, ich armer Tor,
Und bin so klug als wie zuvor!
Heiße Magister, heiße Doktor gar,
Und ziehe schon an die zehen Jahr 10
Herauf, herab und quer und krumm
Meine Schüler an der Nase herum—
Und sehe, daß wir nichts wissen können!
Das will mir schier das Herz verbrennen.
Zwar bin ich gescheiter als alle die Laffen, 15
Doktoren, Magister, Schreiber und Pfaffen;
Mich plagen keine Skrupel noch Zweifel,
Fürchte mich weder vor Hölle noch Teufel.—
Dafür ist mir auch alle Freud' entrissen,
Bilde mir nicht ein, was Recht's zu wissen 20
Bilde mir nicht ein, ich könnte was lehren,
Die Menschen zu bessern und zu bekehren.
Auch hab' ich weder Gut noch Geld,
Noch Ehr' und Herrlichkeit der Welt:
Es möchte kein Hund so länger leben! 25
Drum hab' ich mich der Magie ergeben,
Ob mir durch Geistes Kraft und Mund
Nicht manch Geheimnis würde kund,
Daß ich nicht mehr mit sauerm Schweiß
Zu sagen brauche, was ich nicht weiß,— 30
Daß ich erkenne, was die Welt
Im Innersten zusammenhält,
Schau' alle Wirkenskraft und Samen
Und tu' nicht mehr in Worten kramen!

die Juristerei *law*
leider *unfortunately*
durchaus *thoroughly* heißes Bemühn *ardent endeavor*
der Magister *Master of Arts* gar *even* herumziehen an *lead around by* an *almost* quer *across* krumm *roundabout*
schier *almost* verbrennen *burn (out)* gescheit *smart* der Laffe *oaf*
der Schreiber *pen-pusher, lawyer* der Pfaffe *priest* der Zweifel *doubt*
dafür *over against that* entreißen *tear away* sich einbilden *flatter oneself*
bekehren *convert*
das Gut *property*
die Ehre *honor* die Herrlichkeit *splendors* möchte *would be able to* drum *hence* sich ergeben *yield to*
ob *to see whether*
das Geheimnis *secret* kund *known*
saurer Schweiß *bitter sweat*
erkennen *perceive*
schauen *see* die Wirkenskraft *vital power*
kramen *rummage about*

NIGHT

A high vaulted narrow Gothic chamber.—
FAUST, restless, seated at his desk.

FAUST

I have alas! Philosophy,
Medicine, Jurisprudence too,
5 *And to my cost Theology,*
With ardent labor, studied through.
And here I stand, with all my lore,
Poor fool, no wiser than before.
Magister, doctor styled, indeed,
10 *Already these ten years I lead,*
Up, down, across, and to and fro,
My pupils by the nose,—and learn
That we in truth can nothing know!
This in my heart like fire doth burn.
15 *'Tis true, I've more cunning than all your dull tribe,*
Magistrate and doctor, priest, parson, and scribe,
Scruple or doubt comes not to enthrall me,
Neither can devil nor hell now appall me—
Hence, also, my heart must all pleasure forego!
20 *I may not pretend, aught rightly to know,*
I may not pretend, through teaching, to find
A means to improve or convert mankind.
Then I have neither goods nor treasure,
No worldly honor, rank, or pleasure:
25 *No dog in such a fashion would longer live!*
Therefore myself to magic I give,
In hope, through spirit-voice and might,
Secrets now veiled to bring to light,
That I no more, with aching brow,
30 *Need speak of what I nothing know;*
That I the force may recognize
That binds creation's inmost energies;
Her vital powers, her embryo seeds survey,
And fling the trade in empty words away.

lore knowledge gained through study

aught anything

trade the path traversed

weiterhelfen *help*

das Museum *room devoted to the muses*

das Weltall *universe*

Faust will wissen, was die Welt im Innersten zusammenhält, aber konventionelles Wissen kann ihm nicht weiterhelfen. Er will leben, er will erleben, vermag es aber nicht in seinem „Museum", wie das Wort für „Studierzimmer" einmal hieß. 5

Nach alter Fausttradition sucht er, Geister zu beschwören—aber nicht den Teufel. Er sucht erst, den Geist des Weltalls zu beschwören, dann den Geist der Erde. Der Erdgeist erscheint in einer Flamme—und charakterisiert sein Wesen 10 selber.

Der Erdgeist

GEIST

die Tat *action*
wallen *move, wander* auf und ab *up and down* weben *weave* hin und her *to and fro*
das Grab *grave*
das Meer *sea*
wechseln *change, vary*
glühen *glow*
sausen *whir* der Webstuhl *loom* die Gottheit *deity* das Kleid *garment*

In Lebensfluten, im Tatensturm
Wall' ich auf und ab,
Webe hin und her!
Geburt und Grab,
Ein ewiges Meer, 5
Ein wechselnd Weben,
Ein glühend Leben,
So schaff' ich am sausenden Webstuhl der Zeit,
Und wirke der Gottheit lebendiges Kleid.

FAUST

umschweifen *traverse*
geschäftig *busy*

Der du die weite Welt umschweifst, 10
Geschäftiger Geist, wie nah fühl' ich mich dir!

GEIST

gleichen *be like* begreifen *comprehend*

Du gleichst dem Geist, den du begreifst,
Nicht mir!

Verschwindet

zusammenstürzen *collapse*

FAUST *zusammenstürzend*

das Ebenbild *image*

Nicht dir?
Wem denn? 15
Ich Ebenbild der Gottheit
Und nicht einmal dir!

SPIRIT

In the currents of life, in action's storm
I float and I wave
With billowy motion!
Birth and the grave,
5 *A limitless ocean,*
A constant weaving
With change still rife,
A restless heaving,
A glowing life—
10 *Thus time's whirring loom unceasing I ply,*
And weave the life-garment of deity.

FAUST

Thou, restless spirit, dost from end to end
O'ersweep the world; how near I feel to thee!

SPIRIT

Thou'rt like the spirit, thou dost comprehend,
15 *Not me!*

Vanishes

FAUST (deeply moved)

Not thee?
Whom then?
I, God's own image!
And not rank with thee!

Nach der Selbst-Schilderung seines Wesens verschwindet der Geist der Erde. Als ständiges Wachsen und Wechseln ist er die Quintessenz der Kräfte alles Lebens auf der Erde. Faust begreift ihn nicht. Er ist ein winziges Teilchen, der Geist die Ganzheit des Lebens.

ständig *constant*
wechseln *change*
die Kraft *force*
winzig *tiny*
die Ganzheit *entirety*

Fausts Famulus Wagner kommt zu ihm. Wagner ist kein Landstreicher, hat kein „böses Wesen", ist aber im Gegensatz zu Faust ein trockener, langweilig-optimistischer Gelehrter, eine Karikatur des aufgeklärten Menschen, im flachen Sinne des Wortes. Der Erdgeist war in einer Flamme erschienen; Wagner hat „eine Lampe in der Hand!"

der Gegensatz *contrast*
trocken *dry* langweilig *boring* der Gelehrte *scholar*
flach *superficial*

Nachdem Wagner ihn verläßt, ist Faust in seiner Verzweiflung nahe daran, Selbstmord zu begehen.

nahe daran sein *be on the point of*
Selbstmord begehen *commit suicide*

Im Laufe eines späteren Gespräches mit seinem Famulus entlocken ihm die Bemerkungen des trockenen Bücherwurms eine Schilderung seiner Doppelnatur. Er sagt über sich selbst aus, was Mephistopheles über ihn im Prolog ausgesagt hatte:

entlocken *draw from* die Bemerkung *remark*
aussagen *state*

Vom Himmel fordert er die schönsten Sterne
Und von der Erde jede höchste Lust.

FAUST

Zwei Seelen wohnen, ach! in meiner Brust,
Die eine will sich von der andern trennen;
Die eine hält, in derber Liebeslust,
Sich an die Welt mit klammernden Organen;
Die andre hebt gewaltsam sich vom Dust
Zu den Gefilden hoher Ahnen.
O, gibt es Geister in der Luft,
Die zwischen Erd' und Himmel herrschend weben,
So steiget nieder aus dem goldnen Duft
Und führt mich weg zu neuem, buntem Leben!
Ja, wäre nur ein Zaubermantel mein!
Und trüg' er mich in fremde Länder,
Mir sollt' er um die köstlichsten Gewänder,
Nicht feil um einen Königsmantel sein!

sich trennen *part*

derb *strong* die Liebeslust *pleasure of love* klammernd *clinging*

das Gefilde *sphere* der Ahne *ancestor*

herrschen *rule, reign*

niedersteigen *descend* der Duft *vapor*

bunt *colorful*

köstlich *costly* das Gewand *garment* feil *for sale*

Two souls, alas! are lodged within my breast,
Which struggle there for undivided reign:
One to the world, with obstinate desire,
And closely-cleaving organs, still adheres;
5 *Above the mist, the other doth aspire,*
With sacred vehemence, to purer spheres.
Oh, are there spirits in the air,
Who float 'twixt heaven and earth dominion wield-
ing,
10 *Stoop hither from your golden atmosphere,*
Lead me to scenes, new life and fuller yielding!
A magic mantle did I but possess,
Abroad to waft me as on viewless wings,
I'd prize it far beyond the costliest dress,
15 *Nor would I change it for the robe of kings.*

Die eine (Goethisch)-faustische Seele sucht sinnlichen Genuß, die andere zeigt sich als übermenschliches Streben nach Wissen und Wahrheit, nach den Gefilden hoher Ahnen.

Geister in der Luft und ein Zaubermantel sind dem ursprünglichen Fauststoff entnommen. Diese seine Worte sind eine Form der Be-

sinnlich *sensual* übermenschlich *superhuman*

Gefilden hoher Ahnen *higher ancestral spheres*

entnehmen *take from*

schwörung; Faust hat sich in der Tat der Magie ergeben und ist bereit, den Hokuspokus mitzumachen.

Er spricht die Worte während eines Spazierganges mit Wagner. Während sie gehen, läuft ihnen ein Hund, ein schwarzer Pudel, nach. Der Pudel folgt Faust in sein Studierzimmer. Aus dem Pudel wird Mephistopheles! Diabolische Wesen traten im Volksglauben oft in Form eines Hundes auf.

sich ergeben *yield to, submit to*
bereit *ready*
mitmachen *join in*

der Pudel *poodle*
werden aus *turn into*

FAUST

Wie nennst du dich?

MEPHISTOPHELES

Die Frage scheint mir klein
Für einen, der das Wort so sehr verachtet,
Der, weit entfernt von allem Schein,
Nur in der Wesen Tiefe trachtet. 5

verachten *have contempt for*
entfernt *far from* der Schein *appearance*
trachten *strive*

FAUST

Bei euch, ihr Herrn, kann man das Wesen
Gewöhnlich aus dem Namen lesen,
Wo es sich allzudeutlich weist,
Wenn man euch Fliegengott, Verderber, Lügner heißt. 10
Nur gut, wer bist du denn?

allzudeutlich *all too clearly* sich weisen *show itself*

MEPHISTOPHELES

Ein Teil von jener Kraft,
Die stets das Böse will und stets das Gute schafft.

FAUST

Was ist mit diesem Rätselwort gemeint?

das Rätselwort *puzzle, riddle*

MEPHISTOPHELES

Ich bin der Geist, der stets verneint! 15
Und das mit Recht; denn alles, was entsteht,
Ist wert, daß es zugrunde geht;
Drum besser wär's, daß nichts entstünde.
So ist denn alles, was ihr Sünde,
Zerstörung, kurz das Böse nennt, 20
Mein eigentliches Element.

mit Recht *with good reason*
wert *worth* zugrunde gehen *perish*
die Zerstörung *destruction*

FAUST

Thy name?

MEPHISTOPHELES

The question trifling seems from one,
Who it appears the Word doth rate so low;
Who, undeluded by mere outward show,
5 *To Being's depth would penetrate alone.*

FAUST

With gentlemen like you indeed
The inward essence from the name we read,
As all too plainly it doth appear,
When Beelzebub, Destroyer, Liar, meets the ear.
10 *Who then art thou?*

MEPHISTOPHELES

Part of that power which still
Produceth good, whilst ever scheming ill.

FAUST

What hidden mystery in this riddle lies?

MEPHISTOPHELES

I am the spirit who evermore denies!
15 *And justly; for whate'er to light is brought*
Deserves again to be reduced to naught;
Then better 'twere that naught should be.
Thus all the elements which ye
Destruction, Sin, or briefly, Evil, name,
20 *As my peculiar element I claim.*

bestätigen *confirm*

Mephistopheles bestätigt
ihn im Prolog aussagte. Obw
stets das Böse w i l l, s c h

Gute; denn der Geist, der stets verneint, reizt den Menschen zur Tätigkeit.

Die erste Unterredung führt zu keiner Verständigung zwischen Faust und Mephistopheles. 5 Bevor die zweite Unterredung stattfindet, sagt Faust noch einmal Wesentliches über sich aus.

die Verständigung *agreement*

Faust

die Pein *pain(s)*
eng *confined*
gewähren *give, grant*
entbehren *do without, renounce*
klingen an *ring in*
heiser *hoarsely*
das Entsetzen *horror*
die Träne *tear*
die Ahnung *anticipation*
eigensinnig *whimsical* der Krittel *nagging criticism* mindern *lessen* rege *active*
die Fratze *vexation*
das Lager *bed*
die Rast *rest*
nach außen *outward, outward things*
die Last *burden*
erwünscht *welcome* verhaßt *odious*

In jedem Kleide werd' ich wohl die Pein
Des engen Erdelebens fühlen.
Ich bin zu alt, um nur zu spielen,
Zu jung, um ohne Wunsch zu sein.
Was kann die Welt mir wohl gewähren? 5
„Entbehren sollst du! Sollst entbehren!"
Das ist der ewige Gesang,
Der jedem an die Ohren klingt,
Den, unser ganzes Leben lang,
Uns heiser jede Stunde singt. 10
Nur mit Entsetzen wach' ich morgens auf;
Ich möchte bittre Tränen weinen,
Den Tag zu sehn, der mir in seinem Lauf
Nicht Einen Wunsch erfüllen wird, nicht Einen,
Der selbst die Ahnung jeder Lust 15
Mit eigensinnigem Krittel mindert,
Die Schöpfung meiner regen Brust
Mit tausend Lebensfratzen hindert.
Auch muß ich, wenn die Nacht sich niedersenkt,
Mich ängstlich auf das Lager strecken: 20
Auch da wird keine Rast geschenkt,
Mich werden wilde Träume schrecken.
Der Gott, der mir im Busen wohnt,
Kann tief mein Innerstes erregen;
Der über allen meinen Kräften thront, 25
Er kann nach außen nichts bewegen:
Und so ist mir das Dasein eine Last,
Der Tod erwünscht, das Leben mir verhaßt.

Mephistopheles

Und doch ist nie der Tod ein ganz willkommner
Gast. 30

Faust

selig *happy* der Siegesglanz *glory of victory* der Lorbeer *laurel* die Schläfe *head*
durchrasen *race through*
entzückt *enraptured* entseelt *lifeless* dahinsinken *pass away*

O selig der, dem er im Siegesglanze
Die blutgen Lorbeern um die Schläfe windet,
Den er, nach durchrastem Tanze,
In eines Mädchens Armen findet!
O wär ich vor des hohen Geistes Kraft 35
Entzückt, entseelt dahingesunken!

FAUST

In every garb I needs must feel oppressed,
My heart to earth's low cares a prey.
Too old the trifler's part to play,
Too young to live by no desire possess'd.
5 *What can the world to me afford?* — *afford* furnish, give
Renounce! renounce! is still the word;
This is the everlasting song
In every ear that ceaseless rings,
And which, alas, our whole life long
10 *Hoarsely each passing moment sings.*
But to new horror I awake each morn,
And I could weep hot tears, to see the sun
Dawn on another day, whose round forlorn
Will satisfy no wish of mine—not one.
15 *Which still, with froward captiousness, impairs* — *froward* contrary, perverse
E'en the presentiment of every joy,
While low realities and paltry cares
The spirit's fond imaginings destroy.
And even I then, when falls the veil of night,
20 *Stretched on my bed, I languish in despair;*
Appalling dreams my soul affright;
No rest vouchsafed me even there.
The God, who throned within my breast resides,
Deep in my soul can stir the springs;
25 *With sovereign sway my energies he guides,*
He cannot move external things;
And so existence is to me a weight,
Death fondly I desire and life I hate.

MEPHISTOPHELES

And yet, methinks, by most 'twill be confessed
30 *That Death is never quite a welcome guest.*

FAUST

Happy the man around whose brow he binds
The blood-stained wreath in conquest's dazzling
hour;
Or whom, excited by the dance, he finds
35 *Dissolved in bliss in Love's delicious bower!*
O that before the lofty spirit's might,
Enraptured, I had rendered up my soul!

Mephistopheles hatte Faust versprochen, er werde erfahren, was „das Leben“ sei. Sarkastisch schildert Faust das Leben und die Welt, in der der ewige Refrain „Entbehren“ ist.

Faust wünscht sich noch einmal den Tod. Er verflucht das Leben, das Leben der Seele und das Leben des Körpers, der „Trauerhöhle“ der Seele.

verfluchen *curse*
die Trauerhöhle *dreary den*

Er verflucht geistiges Leben, Schönheit, Ruhm, Besitz, Familie, Geld, Wein, Liebe, Hoffnung, Glaube und „vor allen" Geduld. Illusionen sind es alle! Faust steht in einer Krise seines Lebens. 5 In seinem Verfluchen des Lebens und der Welt hat seine Verzweiflung einen Höhepunkt erreicht. Spricht er nicht wie ein Geist der Verneinung?

Was reif ist, fällt. Die Verständigung mit Mephistopheles steht bevor.

geistig *intellectual, spiritual* der Ruhm *fame* der Besitz *possessions* vor allen *above all others* die Geduld *patience*

der Höhepunkt *climax*

reif *ripe*

MEPHISTOPHELES

Ich bin keiner von den Großen;
Doch willst du, mit mir vereint,
Deine Schritte durch's Leben nehmen,
So will ich mich gern bequemen,
Dein zu sein, auf der Stelle. 5
Ich bin dein Geselle
Und, mach' ich dir's recht,
Bin ich dein Diener, bin dein Knecht!

vereint *united*
der Schritt *step*
sich bequemen *accommodate oneself* auf der Stelle *on the spot*
der Geselle *companion*

FAUST

Und was soll ich dagegen dir erfüllen?

erfüllen *do, perform*

MEPHISTOPHELES

Dazu hast du noch eine lange Frist. 10

dazu *for that* die Frist *space of time*

FAUST

Nein, nein! Der Teufel ist ein Egoist
Und tut nicht leicht um Gottes willen,
Was einem andern nützlich ist.
Sprich die Bedingung deutlich aus!
Ein solcher Diener bringt Gefahr ins Haus. 15

nützlich *of use, profitable*
die Bedingung *condition* deutlich *clearly*

MEPHISTOPHELES

Ich will mich h i e r zu deinem Dienst verbinden,
Auf deinen Wink nicht rasten und nicht ruhn;
Wenn wir uns d r ü b e n wieder finden,
So sollst du mir das Gleiche tun.

verbinden *pledge*
der Wink *nod* rasten *stop*
drüben *hereafter*
das Gleiche *the same*

FAUST

Das Drüben kann mich wenig kümmern. 20
Schlägst du erst diese Welt zu Trümmern,
Die andre mag danach entstehn.
Aus dieser Erde quillen meine Freuden,
Und diese Sonne scheinet meinen Leiden;
Kann ich mich erst von ihnen scheiden, 25
Dann mag, was will und kann geschehn.
Davon will ich nichts weiter hören,
Ob man auch künftig haßt und liebt,
Und ob es auch in jenen Sphären
Ein Oben oder Unten gibt. 30

kümmern *concern*
zu Trümmern schlagen *smash to pieces*
quillen *spring from*
sich scheiden *part*
künftig *in the future*
oben *above* unten *below*

MEPHISTOPHELES

I to the upper ranks do not belong;
Yet if, by me companioned, thou
Thy steps through life forthwith wilt take,
Upon the spot myself I'll make
5 *Thy comrade;—*
Should it suit thy need,
I am thy servant, am thy slave indeed!

FAUST

And how must I thy services repay?

MEPHISTOPHELES

Thereto thou lengthened respite hast!

FAUST

No! No!

10 *The devil is an egoist, I know:*
And, for Heaven's sake, 'tis not his way
Kindness to any one to show.
Let the condition plainly be expressed;
Such a domestic is a dangerous guest.

MEPHISTOPHELES

15 *I'll pledge myself to be thy servant h e r e,*
Still at thy back alert and prompt to be;
But when together y o n d e r we appear.
Then shalt thou do the same for me.

FAUST

But small concern I feel for yonder world;
20 *Hast thou this system into ruin hurled,*
Another may arise the void to fill.
This earth the fountain whence my pleasures flow,
This sun doth daily shine upon my woe,
And if this world I must forego,
25 *Let happen then,—what can and will.*
I to this theme will close mine ears,
If men hereafter hate and love,
And if there be in yonder spheres
A depth below or height above.

MEPHISTOPHELES

wagen *risk*

In diesem Sinne kannst du's wagen.
Verbinde dich; du sollst, in diesen Tagen
Mit Freuden meine Künste sehn,
Ich gebe dir, was noch kein Mensch gesehn.

FAUST

Was willst du armer Teufel geben? 5
Ward eines Menschen Geist, in seinem hohen Streben,
Von Deinesgleichen je gefaßt?
Doch hast du Speise, die nicht sättigt, hast
Du rotes Gold, das ohne Rast, 10
Quecksilber gleich, dir in der Hand zerrinnt,
Ein Spiel, bei dem man nie gewinnt,
Ein Mädchen, das an meiner Brust
Mit Äugeln schon dem Nachbar sich verbindet,
Der Ehre schöne Götterlust, 15
Die, wie ein Meteor verschwindet?
Zeig' mir die Frucht, die fault, eh' man sie bricht,
Und Bäume, die sich täglich neu begrünen!

ward *was*
je *ever*
sättigen *fill, satisfy*
zerrinnen *disappear*
die Ehre *honor* die Götterlust *divine joy*
faulen *rot*
sich begrünen *grow green*

MEPHISTOPHELES

Ein solcher Auftrag schreckt mich nicht,
Mit solchen Schätzen kann ich dienen. 20
Doch, guter Freund, die Zeit kommt heran,
Wo wir was Guts in Ruhe schmausen mögen.

der Auftrag *commission* schrecken *alarm* der Schatz *treasure*
schmausen *feast on*

FAUST

Werd' ich beruhigt je mich auf ein Faulbett legen,
So sei es gleich um mich getan!
Kannst du mich schmeichelnd je belügen, 25
Daß ich mir selbst gefallen mag,
Kannst du mich mit Genuß betrügen;
Das sei für mich der letzte Tag!
Die Wette biet' ich!

beruhigt *content* das Faulbett *idler's bed* sei . . . getan *it will be all up with me* schmeichelnd *by means of flattery* belügen *deceive (by lying)*
die Wette *wager* bieten *offer*

MEPHISTOPHELES

Topp! 30

topp *agreed*

MEPHISTOPHELES

In this mood thou mayst venture it. But make
The compact, and at once I'll undertake
To charm thee with mine arts. I'll give thee more
Than mortal eye hath e'er beheld before.

FAUST

5 *What, sorry devil, hast thou to bestow?*
Was ever mortal spirit, in its high endeavor,
Fathomed by Being such as thou?
Yet food thou hast which satisfieth never,
Hast ruddy gold, that still doth flow
10 *Like restless quicksilver away,*
A game thou hast, at which none win who play,
A girl who would, with amorous eyen,
E'en from my breast, a neighbor snare,
Lofty ambition's joy divine,
15 *That, meteor-like, dissolves in air.*
Show me the fruit that, ere 'tis plucked, doth rot,
And trees, whose verdure daily buds anew.

MEPHISTOPHELES

Such a commission scares me not,
I can provide such treasures, it is true;
20 *But, my good friend, a season will come round,*
When on what's good we may regale in peace.

FAUST

If e'er upon my couch, stretched at my ease, I'm
found,
Then may my life that instant cease;
25 *Me canst thou cheat with glozing wile*
That I be pleased with the repast,
Me with joy's lure canst thou beguile—
Let that day be for me the last!
Be this our wager!

glozing flattering

MEPHISTOPHELES

30 *Be it!*

FAUST

Schlag auf Schlag *hand on hand*
der Augenblick *moment*
verweilen *linger*
mögen *be able to* in Fesseln schlagen *put in chains*
die Totenglocke *funeral bell* schallen *sound* frei *released*
der Zeiger *hand*
vorbei *over and done with*

Und Schlag auf Schlag!
Werd' ich zum Augenblicke sagen:
„Verweile doch, du bist so schön!"
Dann magst du mich in Fesseln schlagen,
Dann will ich gern zugrunde gehn! 5
Dann mag die Totenglocke schallen,
Dann bist du deines Dienstes frei,
Die Uhr mag stehn, der Zeiger fallen,
Es sei die Zeit für mich vorbei!

MEPHISTOPHELES

bedenken *consider, bear in mind*

Bedenk es wohl! Wir werden's nicht vergessen. 10

FAUST

dazu *to do that* ein volles Recht *every right* sich freventlich vermessen *boldly take too much upon oneself* beharren *grow stagnant*

Dazu hast du ein volles Recht!
Ich habe mich nicht freventlich vermessen:
Wie ich beharre, bin ich Knecht,
Ob dein, was frag' ich, oder wessen!

MEPHISTOPHELES

um . . . willen *because of risks*
sich ausbitten *insist on* die Zeile *line*

. . . 15
Nur eins!—Um Lebens oder Sterbens willen
Bitt' ich mir ein paar Zeilen aus.

FAUST

fordern *demand*

Auch was Geschriebenes forderst du Pedant?
. . .

MEPHISTOPHELES

das Blättchen *scrap of paper*
unterzeichnen *sign*

. . . 20
Ist doch ein jedes Blättchen gut.
Du unterzeichnest dich mit einem Tröpfchen Blut.
. . .

MEPHISTOPHELES

der Saft *juice*

Blut ist ein ganz besonderer Saft.

FAUST

Sure and fast!
When to the moment I shall say,
"Linger awhile, so fair thou art!"
Then mayst thou fetter me straightway,
5 *Then to the abyss will I depart;*
Then may the solemn death-bell sound,
Then from thy service thou art free,
The index then may cease its round,
And time be never more for me!

MEPHISTOPHELES

10 *I shall remember; pause, ere 'tis too late.*

FAUST

Thereto a perfect right hast thou.
My strength I do not rashly overrate.
Slave am I here, at any rate,
If thine, or whose, it matters not, I trow.

trow suppose

MEPHISTOPHELES

15 . . .
But one thing!—Accidents may happen, hence
A line or two in writing grant, I pray.

FAUST

A writing, pedant! dost demand from me?
. . .

MEPHISTOPHELES

20 . . .
A scrap is for our compact good.
Thou undersignest merely with a drop of blood.
. . .

MEPHISTOPHELES

Blood is a juice of very special kind.

FAUST

Nur keine Furcht, daß ich dies Bündnis breche!
Das Streben meiner ganzen Kraft
Ist grade das, was ich verspreche.
Ich habe mich zu hoch gebläht;
In deinen Rang gehör' ich nur. 5
Der große Geist hat mich verschmäht,
Vor mir verschließt sich die Natur.
Des Denkens Faden ist zerrissen,
Mir ekelt lange vor allem Wissen.
Laß in den Tiefen der Sinnlichkeit 10
Uns glühende Leidenschaften stillen!
. . .
Mein Busen, der vom Wissensdrang geheilt ist,
Soll keinen Schmerzen künftig sich verschließen,
Und was der ganzen Menschen zugeteilt ist, 15
Will ich in meinem innern Selbst genießen,
Mit meinem Geist das Höchst' und Tiefste greifen,
Ihr Wohl und Weh auf meinen Busen häufen
Und so mein eigen Selbst zu ihrem Selbst er-
weitern— 20
Und wie sie selbst, am End' auch ich zerscheitern.

sich blähen *puff oneself up*
der Rang *rank*
verschmähen *scorn*
sich verschließen *close up*
der Faden *thread* zerrissen *torn*
ekeln vor *loathe*
die Sinnlichkeit *sensuality*
die Leidenschaft *passion* stillen *calm*
heilen *cure*
zuteilen *allot, portion out*
genießen *experience*
greifen *grasp*
das Wohl und Weh *joy and sorrow* häufen *heap* erweitern *expand*
zerscheitern *be shattered*

MEPHISTOPHELES

O glaube mir, der manche tausend Jahre
An dieser harten Speise kaut,
Daß von der Wiege bis zur Bahre
Kein Mensch den alten Sauerteig verdaut. 25
Glaub unsereinem: dieses Ganze
Ist nur für einen Gott gemacht!
Er findet sich in seinem ew'gen Glanze,
Uns hat er in die Finsternis gebracht,
Und euch taugt einzig Tag und Nacht. 30

kauen *chew*
die Wiege *cradle* die Bahre *bier*
der Sauerteig *sourdough* verdauen *digest* unsereiner *people like us*
der Glanz *radiance*
die Finsternis *darkness*
taugen *be suited* einzig *only*

FAUST

Allein ich will!

allein *however*

FAUST

Be not afraid that I shall break my word!
The scope of all my energy
Is in exact accordance with my vow.
Vainly I have aspired too high;
5 *I'm on a level with but such as thou;*
Me the great spirit scorned, defied;
Nature from me herself doth hide;
Rent is the web of thought; my mind
Doth knowledge loathe of every kind.
10 *In depths of sensual pleasures drowned,*
Let us our fiery passions still!
. . .
Purged from the love of knowledge, my vocation,
The scope of all my powers henceforth be this,
15 *To bare my breast to every pang,—to know*
In my heart's core all human weal and woe,
To grasp in thought the lofty and the deep,
Men's various fortunes on my breast to heap,
And thus to their's dilate my individual mind,
20 *And share at length with them the shipwreck of mankind.*

MEPHISTOPHELES

Oh, credit me, who still as ages roll,
Have chewed this bitter fare from year to year,
No mortal, from the cradle to the bier,
25 *Digests the ancient leaven! Know, this whole*
Doth for the Deity alone subsist!
He in eternal brightness doth exist,
Us unto darkness he hath brought, and here
Where day and night alternate, is your sphere.

FAUST

30 *But 'tis my will!*

die Bedingung *condition*
unterstreichen *underscore*
rhetorisch *rhetorical*
die Scheinfreude *sham pleasure*
bereiten *give*
die Materie *matter*
das Verständnis *understanding*

Mephistopheles denkt an einen Pakt, wie wir ihn aus der Sage kennen und macht die konventionelle Bedingung über seinen Dienst hier und Fausts drüben. Wenn Faust unterstreicht, daß ihn nur das Hier interessiert, verspricht Mephisto, ihm zu geben, was noch kein Mensch gesehen. Was hat er im Sinn? Faust erklärt es ihm, nachdem er selber die rhetorische Frage stellt: „Was willst du armer Teufel geben". Scheinfreuden kann Mephistopheles den Menschen bereiten. Er kennt die Welt der Sinne, die Welt der Materie, aber für Fausts Streben hat er kein Verständnis.

die Bedingung *stipulation*

Ihre Unterredung führt zwar zu einer Verständigung, aber im Grunde sprechen Faust und der Teufel zwei verschiedene Sprachen. Ihre Interpretationen sind verschieden; es ist aber Faust, der die Bedingung macht. In den Worten Goethes an einen Freund am 3. August 1815: „Faust macht im Anfang dem Teufel eine Bedingung, woraus Alles folgt."

dreiteilig *in three parts*
aufhören *stop*
sich selbst gefallen *be pleased with oneself*

Fausts Bedingung ist dreiteilig: 1. Er wird nie aufhören zu streben. 2. Er wird sich nicht so belügen und betrügen lassen, daß er sich selbst gefällt. 3. Er wird zu keinem Augenblick sagen, daß er verweilen soll.

sich vermessen *take too much upon oneself* entsprechen *be in accordance with*

Faust ist nicht zu weit gegangen, er hat sich nicht vermessen; denn die Bedingung entspricht seinem Wesen. Er ist und bleibt, was er war: ein strebender Mensch.

der Rausch *intoxication, ecstasy* gesteigert *intensified*

Dem Wissen sagt er aber ab. Dafür sucht er Rausch und gesteigertes Erleben. Mephistopheles soll ihm helfen, alles zu erleben, was die Menschheit erleben kann.

Mephistopheles führt Faust erst durch das „wilde Leben" trinkender Studenten in Leipzigs Auerbachs Keller. Goethe übernahm mehrere Motive der Faustsage. Mephistopheles, aber nicht Faust selber, bohrt Löcher in den Rand der Tischplatte, läßt Pfropfen in jedes Loch stecken,

spricht eine Zauberformel—und der gewünschte Wein fließt. Am Ende der Szene reiten sie beide auf einem Weinfaß aus dem Keller. Faust hat eine passive, keine aktive Rolle gespielt. Er emp-
5 fand Langeweile, Widerwillen.

Es folgt eine Szene in der Hexenküche. Eine Funktion der Szene ist, Fausts Sinnlichkeit zu erwecken und erregen.

Die Gretchen-Tragödie beginnt. Auf der
10 Straße einer deutschen Kleinstadt spricht er sie an, das Mädchen mit dem Blumennamen Margarete und dem Blumendiminutiv Gretchen. Sie weist ihn zurück. Von Mephistopheles verlangt er, daß er sie ihm „schafft."

15 Sie bringen ein Geschenk, Juwelen, in Gretchens Zimmer. In dem Zauberduft, welche die Stube des kindlich lieben Wesens ausstrahlt, vermag Faust seine gefühllose Forderung nicht zu wiederholen. „Was willst du hier?" fragt er sich. Das
20 Übersinnliche verdrängt sinnliches Verlangen.

Mephistopheles, der Geist der Realisation, hilft aber weiter mit. Bei einer Nachbarin Gretchens lernt Faust sie kennen. Er verliebt sich in sie; sie verliebt sich in ihn.

25 Sie meint, sie war ihm auf der Straße nicht böse genug, daß er sie angesprochen hat.

die Langeweile *boredom* der Widerwille *aversion*

die Sinnlichkeit *sensuality*

ansprechen *accost*

zurückweisen *rebuff*

der Zauberduft *magic atmosphere*

kindlich *childlike* ausstrahlen *radiate* gefühllos *unfeeling* die Forderung *demand* wiederholen *repeat*

übersinnlich *spiritual, supersensual* verdrängen *supplant*

sich verlieben *fall in love*

böse *angry* ansprechen *talk to*

MARGARETE

. . ., ich war recht bös' auf mich,
Daß ich auf euch nicht böser werden konnte.

FAUST

Süß Liebchen!

MARGARETE

Laßt einmal!

abzupfen *pull off* das Blatt *petal*

Sie pflückt eine Sternblume und zupft die Blätter ab, eins nach dem andern. 5

FAUST

der Strauß *bouquet*

Was soll das? Einen Strauß?

MARGARETE

Nein, es soll nur ein Spiel.

FAUST

Wie?

MARGARETE

Geht, ihr lacht mich aus. 10

rupfen *pull* murmeln *murmur*

Sie rupft und murmelt.

FAUST

Was murmelst du?

MARGARETE *halblaut*

Er liebt mich—liebt mich nicht.

FAUST

hold *lovely* das Angesicht *face*

Du holdes Himmels-Angesicht!

MARGARETE

Liebt mich—nicht—liebt mich—nicht— 15

ausrupfen *pull off* hold *radiant*

Das letzte Blatt ausrupfend, mit holder Freude.
Er liebt mich!

MARGARET

. . . I was angry with myself indeed,
That I more angry could not feel with you.

FAUST

Sweet love!

MARGARET

Just wait awhile!

5 She gathers a starflower and plucks off
the leaves one after another.

FAUST

A nosegay may that be?

MARGARET

No! It is but a game.

FAUST

How?

MARGARET

10 *Go, you'll laugh at me!*

She plucks off the leaves and murmurs to herself.

FAUST

What murmurest thou?

MARGARET *half aloud*

He loves me,—loves me not.

FAUST

Sweet angel, with thy face of heavenly bliss!

MARGARET *continues*

15 *He loves me—not—he loves me—not—*
Plucking off the last leaf with fond joy.
He loves me!

FAUST

Ja, mein Kind! Laß dieses Blumenwort
Dir Götterausspruch sein. Er liebt dich!
Verstehst du, was das heißt? Er liebt dich!
Er faßt ihre beiden Hände.

der Ausspruch *utterance*

MARGARETE

Mich überläuft's! 5

mich überläuft's *I tremble*

FAUST

O schaudre nicht! Laß diesen Blick,
Laß diesen Händedruck dir sagen
Was unaussprechlich ist:
Sich hinzugeben ganz und eine Wonne
Zu fühlen, die ewig sein muß! 10
Ewig!—Ihr Ende würde Verzweiflung sein.
Nein, kein Ende! Kein Ende!

schaudern *feel awe*

der Händedruck *pressure of the hands* unaussprechlich *inexpressible* sich hingeben *give oneself (to)* die Wonne *joy, rapture*

MARGARETE *drückt ihm die Hände, macht sich los und läuft weg. Er steht einen Augenblick in Gedanken, dann folgt er ihr.* 15

drücken *press* sich losmachen *take one's hands and arms from*

FAUST

Yes!

And this flower-language, let it be,
A heavenly oracle. He loveth thee!
Know'st thou the meaning of, He loveth thee?
5 He seizes both her hands.

MARGARET

I tremble so!

FAUST

Nay! do not tremble, love!
Let this hand-pressure, let this glance reveal
Feelings, all power of speech above;
10 *To give oneself up wholly and to feel*
A joy that must eternal prove!
Eternal!—Yes, its end would be despair,
No end!—It cannot end!

MARGARET presses his hand, extricates
15 herself, and runs away. He stands a moment
in thought, and then follows her.

erhoffen *hope for*

die Wonne *joy* sich hingeben *give oneself*

unbewußt *instinctively* das Blatt *petal* das Schicksal *fate*

sich abzeichnen *outlines (of) stand out* voraussehen *foresee*

bewußt *consciously*

grausam *cruel*

die Höhle *cavern* wohl *probably*

quälend *tormenting*

die Unruhe *restlessness* die Sehnsucht nach *longing for* die Strophe *stanza* das Wiederholen *repeating*

die Ruh *peace* hin *gone* unterstreichen *underscore*

Gretchen läßt sich von der Sternblume wahrsagen, was sie erhofft. Faust liebt sie. Er fragt sie, ob sie weiß, was es bedeutet, von Faust geliebt zu werden; er fragt sie nicht, ob sie ihn liebt.

Gretchen will die Wonne fühlen, sich hinzugeben ganz, ahnt aber ein tragisches Ende und die Verzweiflung, von der Faust spricht. Sie weiß, unbewußt: die Stern-Blätter wahrsagen ihr das Schicksal. 5

In den nächsten Szenen zeichnet sich die Liebestragödie ab, die beide voraussehen—Faust bewußt, Gretchen unbewußt. Faust spricht von dem grausamen Ende, das er voraussieht, in einer Unterredung mit Mephistopheles in „Wald und Höhle.“ Wohl zu gleicher Zeit sitzt Gretchen allein in ihrer Stube. Sie spricht von ihrer quälenden Unruhe und von ihrer Sehnsucht nach Faust. Die Anfangsstrophe, die vierte und die achte Strophe sind dieselben. Das Wiederholen der Strophe „Meine Ruh ist hin“ unterstreicht ihre quälende Unruhe. 10 15 20

WALD UND HÖHLE

die Höhle *cavern*

FAUST

die Himmelsfreude *joyous happiness* sich erwarmen *grow warm*
die Not *need*
der Flüchtling *fugitive* unbehaust *homeless* der Unmensch *monster* der Zweck *goal*
der Wassersturz *waterfall* der Fels *cliff* brausen *rage*
wütend *furious* der Abgrund *abyss* dumpf *unawakened*
umfangen *surround*
der Gottverhaßte *one hated by God*
zu Trümmern schlagen *smash into ruins* der Friede *peace* untergraben *undermine* das Opfer *sacrifice* die Angst *anxiety* verkürzen *shorten*
das Geschick *fate* zusammenstürzen *fall crashing down*

Was ist die Himmelsfreud' in ihren Armen?
Laß mich an ihrer Brust erwarmen!
Fühl' ich nicht immer ihre Not?
Bin ich der Flüchtling nicht? der Unbehauste,
Der Unmensch ohne Zweck und Ruh, 5
Der wie ein Wassersturz von Fels' zu Felsen brauste,
Begierig wütend, nach dem Abgrund zu?
Und seitwärts sie, mit kindlich dumpfen Sinnen,
Im Hüttchen auf dem kleinen Alpenfeld, 10
Und all ihr häusliches Beginnen
Umfangen in der kleinen Welt.
Und ich, der Gottverhaßte,
Hatte nicht genug,
Daß ich die Felsen faßte 15
Und sie zu Trümmern schlug!
Sie, ihren Frieden mußt' ich untergraben!
Du, Hölle, mußtest dieses Opfer haben!
Hilf, Teufel, mir die Zeit der Angst verkürzen!
Was muß geschehen, mag's gleich geschehn! 20
Mag ihr Geschick auf mich zusammenstürzen
Und sie mit mir zugrunde gehn!

FOREST AND CAVERN

FAUST

What is to me heaven's joy within her arms?
What though my life her bosom warms!—
Do I not ever feel her woe?
The outcast am I not, who knows no rest,
5 *Inhuman monster, aimless and unblest,*
Who like the greedy surge, from rock to rock,
Sweeps down the dread abyss with desperate shock?
While she, within her lowly cot, which graced — *cot* cottage
The Alpine slope, beside the waters wild,
10 *Her homely cares in that small world embraced.*
Secluded lived, a simple artless child.
Was't not enough, in thy delirious whirl
To blast the steadfast rocks?
Her, and her peace as well,
15 *Must I, God-hated one, to ruin hurl!*
Dost claim this holocaust, remorseless Hell!
Fiend, help me to cut short the hours of dread!
Let what must happen, happen speedily!
Her direful doom fall crushing on my head,
20 *And into ruin let her plunge with me.*

GRETCHENS STUBE

das Spinnrad *spinning wheel*

GRETCHEN *am Spinnrade, allein*

die Ruh *peace* hin *gone*
nimmer *never*
nimmermehr *nevermore*

Meine Ruh ist hin,
Mein Herz ist schwer;
Ich finde sie nimmer
Und nimmermehr.

Wo ich ihn nicht hab, 5
Ist mir das Grab,
Die ganze Welt
Ist mir vergällt.

vergällen *turn bitter*

Mein armer Kopf
Ist mir verrückt, 10
Mein armer Sinn
Ist mir zerstückt.

verrückt *crazed*
zerstückt *distraught*

Mein Ruh ist hin,
Mein Herz ist schwer;
Ich finde sie nimmer 15
Und nimmermehr.

Nach ihm nur schau ich
Zum Fenster hinaus,
Nach ihm nur geh ich
Aus dem Haus. 20

hoch *noble* der Gang *gait*
das Lächeln *smile*
die Gewalt *power*

Sein hoher Gang,
Seine edle Gestalt,
Seines Mundes Lächeln,
Seiner Augen Gewalt,

der Zauberfluß *magic flow*
der Händedruck *handshake*
der Kuß *kiss*

Und seiner Rede 25
Zauberfluß,
Sein Händedruck,
Und ach, sein Kuß!

Meine Ruh ist hin,
Mein Herz ist schwer; 30
Ich finde sie nimmer
Und nimmermehr.

MARGARET'S ROOM

MARGARET alone at her spinning wheel

My peace is gone,
My heart is sore,
I find it never,
And nevermore!

5 *Where him I have not,*
Is the grave to me;
And bitter as gall
The whole world to me.

My wildered brain
10 *Is overwrought;*
My feeble senses
Are distraught.

wildered bewildered

My peace is gone
My heart is sore,
15 *I find it never,*
And nevermore!

For him from the window
I gaze, at home;
For him and him only
20 *Abroad I roam.*

His lofty step
His bearing high,
The smile of his lip,
The power of his eye,

25 *His witching words,*
Their tones of bliss,
His hand's fond pressure,
And ah—his kiss!

My peace is gone,
30 *My heart is sore,*
I find it never,
And nevermore.

der Busen *bosom* sich drängen nach *yearn for*
fassen *clasp*

vergehen *die of*

Mein Busen drängt
Sich nach ihm hin:
Ach, dürft ich fassen
Und halten ihn

Und küssen ihn
So wie ich wollt,
An seinen Küssen
Vergehen sollt!

My bosom aches
To feel him near;
Ah, could I clasp
And fold him here! — *fold* embrace

5 *Kiss him and kiss him*
Again would I,
And on his kisses
I fain would die! — *fain* willingly

Gretchen verzweifelt

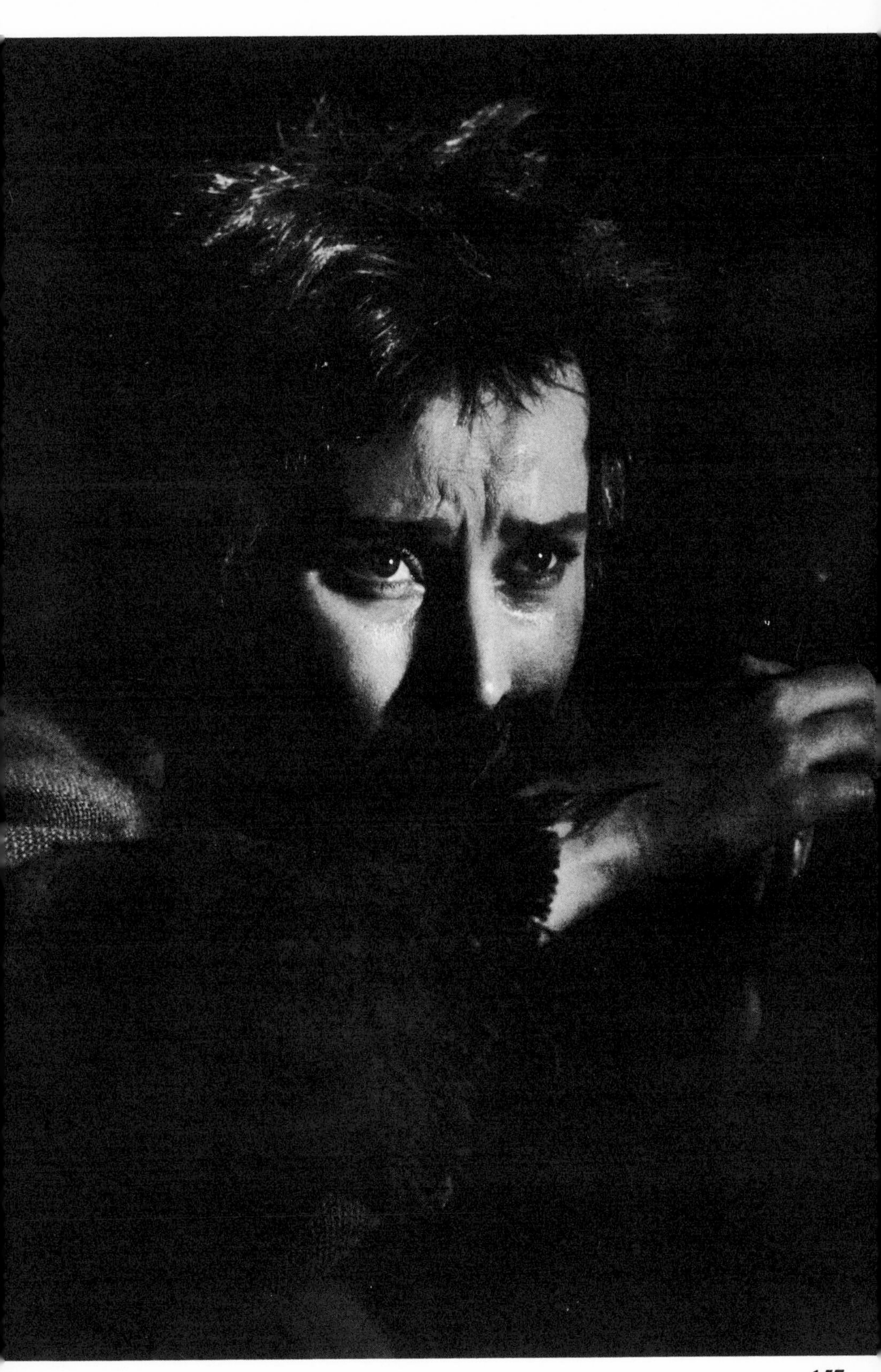

Gretchen, vor ihrem Tode

Bei allem inneren Konflikt besitzt Faust Klarheit über sein Schicksal, über Gretchens Schicksal. Der sinnlich-übersinnliche Faust—so nennt ihn Mephistopheles—schwankt zwischen den Polen, bis des Teufels Einfluß in die Waagschale fällt.

Faust vergleicht sich mit einem Wassersturz. Das Bild unaufhaltsamer Naturkräfte unterstreicht: Das Schicksal wird sie ereilen. Aus den Worten Fausts spricht Resignation.

Aus den Worten Gretchens spricht tiefgründige Unruhe und sinnliches Verlangen. Das dreifache Wiederholen der Strophe „Meine Ruh ist hin . . ." im lyrischen Monolog Gretchens unterstreicht ihre innere Bewegung.

Das Schicksal Gretchens, der unverheirateten Mutter, wird von der Gesellschaft bestimmt. Die letzte Szene findet im Kerker statt. Der Kern der Tragödie ist in ihren Worten enthalten:

Doch—alles, was dazu mich trieb,
Gott! war so gut! ach, war so lieb!

Faust sagt von ihr: „Ihr Verbrechen war ein guter Wahn"; sie glaubte an das Gute und Natürliche ihrer Liebe.

Mephistopheles' spöttische Worte, „sie ist die Erste nicht", spiegeln die Anschauung der herzlosen Gesellschaft. „Zerrissen liegt der Kranz, die Blumen zerstreut." Und Gretchen gibt der Gesellschaft innerlich recht.

Faust will alles wagen, um Gretchen aus dem Kerker zu retten. Ist aber der „Unmensch", der nach universellem Erleben strebt, sich „des rechten Weges wohl bewußt?" Durch ihn kam sie in den Kerker; durch ihn wurde ihr bitteres Leid zuteil.

Wenn Mephistopheles im Kerker sagt: „Sie ist gerichtet!" wird man an das alte Puppenspiel erinnert. Sofort kommt aber eine Stimme von oben: „Ist gerettet!" Gretchen hatte zu Faust die prophetischen Worte gesprochen: „Wir werden uns wiedersehn"; denn sie glaubt an die göttliche

schwanken *waver*
in die Waagschale fallen *tip the scales*
unaufhaltsam *irresistible* unterstreichen *underscore* ereilen *overtake*
tiefgründig *profound*
die Unruhe *anxiety* das Verlangen *desire*
die innere Bewegung *agitation*
unverheiratet *unmarried*
die Gesellschaft *society* bestimmen *decide* der Kerker *prison* der Kern *heart, core*
das Verbrechen *transgression* ein guter Wahn *a heartfelt delusion*
spöttisch *jeering*
die Anschauung *view*
zerrissen *torn* der Kranz *bridal wreath* zerstreut *scattered* innerlich recht geben *agree with inwardly*
wagen *risk*
retten *save*
zuteil werden *fall to one's lot*
richten *judge*
erinnern *remind* sofort *immediately*

Gnade. Wenn auch Faust sie nicht aus dem Kerker rettet, spielt Gretchen eine folgenreiche Rolle bei seiner Erlösung.

folgenreich *momentous*
die Erlösung *redemption*

Auffallend sind die Pronomen der ersten Person, „ich" und „mir" und „mich", wenn Faust im ersten Teil spricht; auffallend sind die Pluralformen, „wir" und „uns", wenn Faust in der ersten Szene des zweiten Teils spricht. Findet er auch den Weg zum „Du"?

auffallend *striking* das Pronomen *pronoun*

Die Hauptpersonen des ersten Teils sind Faust, Mephistopheles und Gretchen; der Schauplatz ist „die kleine Welt" von Studenten- und Bürgerkreisen in Universitäts- und Kleinstadt. Die Hauptpersonen des zweiten Teils sind Faust, Mephistopheles und Helena; der Schauplatz ist „die große Welt" des Kaisers und der Macht, in Palästen und Burgen. Im ersten Teil lesen wir von Wissensdurst, Erlebnishunger und von sinnlichglühender Liebe, im zweiten von Macht und Taten und von Liebe mit Bewußtsein.

der Schauplatz *setting*
der Palast *palace* die Burg *castle*
sinnlich-glühend *sensually ardent*
die Tat *action, deed*
das Bewußtsein *cognizance*

Szenen am Hof des Kaisers leiten über zur Ehe Fausts und Helenas und zu Fausts Herrschaft über ein Reich am Meer. In einem Saal des kaiserlichen Palastes erscheint der „Schemen" Helenas. Das Erscheinen der Griechin führt zu einer Griechenland-Fahrt Fausts. Helena ist kein Teufelsliebchen, wie Mephistopheles sie der Sage nach nennt. Sie ist die edle Griechin, Symbol reiner Schönheit, ein Spiegel des Göttlichen. Sie gehört „der ersten Welt", der Natur, an.

überleiten *lead over*
die Herrschaft *dominion, ruling*
der Schemen *shadow*
das Teufelsliebchen *diabolical ladylove*
der Spiegel *reflection*
angehören *be a part of*

Helena lebte mehrere tausend Jahre vor Faust, aber sie wird seine Frau, denn „den Poeten bindet keine Zeit." Die Vereinigung Helenas und Fausts ist die Vereinigung von Natur und Geist; sie ist auch die Vereinigung der deutschen Welt und der Welt des alten Griechenland. Helena wohnt in einem griechischen Palast und trägt ein griechisches Gewand, Faust wohnt in einer deutschen Ritterburg und trägt die Kleidung eines deutschen Ritters. Aus Helenas Mund hört man die ungereimten Jamben der Antike; Faust bringt ihr den deutschen Reim bei.

die Vereinigung *union*
das Gewand *gown*
der Ritter *knight*
der Reim *rhyme* der Jambus *iamb* die Antike *classical antiquity* beibringen *teach*

Helena und Faust

erfahren *undergo* die Läuterung *purification*
verkörpern *personify*
anregen *incite*
gebären *bear*
tatkräftig *energetic*
gleichen *resemble*
das Gebirge *mountains*
fern *distant* der Kampf *battle* stürzen *plunge* der Fels *cliff*
die Wolke *cloud*
unschweben *hover about*
der Nebelstreif *whisp of fog*
Aurora *dawn, youth*
sich erheben *rise* zieht . . . fort *draws the best of my being away*
die Kraft *energy*
der Ruhm *fame* erwerben *gain*
der Gegenkaiser *rival emperor* nach . . . Sieg *after victory is gained* abgewinnen *win from* urbar *arable*
ums Leben kommen *lose one's life* der Handel *trade* die Piraterie *piracy* schuld *guilty* die Ungeduld *impatience* die Verwirklichung *realization* vor sich gehen *proceed*
die Sorge *care, worry*
die Zeile *line*
mit Recht *rightly*

Der Faust der Sage empfindet sinnliches Verlangen nach dem Teufelsliebchen Helena. In Goethes Werk erfährt die Liebe Fausts eine Läuterung, denn Helena verkörpert reine Schönheit, die den Menschen zu höchstem Streben anregt. 5

Goethes Helena gebärt Faust einen Sohn. Sein Name Euphorion bedeutet im Griechischen das, was Faustus im Lateinischen bedeutet; der Glückliche.[1] Der tatkräftige Euphorion—eine allegorische Figur, die Poesie—gleicht seinem Vater. 10 Er strebt im Gebirge immer höher hinauf, will an fernen Kämpfen teilnehmen, stürzt von einem Felsen in die Tiefe und findet den Tod. Helena verschwindet—nicht, wie in der Sage, nach Fausts Tod, sondern nach dem Tod ihres Sohnes. Ihr 15 Kleid bleibt in Fausts Hand.

In einer Wolke erblickt Faust am Anfang des nächsten Aktes das Bild Helenas. Ihn selbst umschwebt ein Nebelstreif. Auch hier glaubt er, ein Bild zu sehen, „Aurorens Liebe": das Bild 20 Gretchens. Es erhebt sich und „zieht das Beste meines Innern mit sich fort."

Faust ist nach Deutschland zurückgekehrt, fühlt Kraft zu neuen Taten. Wenn Mephistopheles meint, er will Ruhm erwerben, erwidert Faust: 25 „Die Tat ist alles, nichts der Ruhm."

Sie helfen dem Kaiser im Kampf mit einem Gegenkaiser. Nach errungenem Sieg wird Faust Herrscher über ein Reich am Meer. Er gewinnt dem Meer Land ab, um es den Menschen urbar 30 zu machen. Faust strebt—und irrt: Menschen kommen ums Leben, der Handel bringt Piraterie mit sich. Schuld ist auch Faust wegen seiner Ungeduld darüber, daß die Verwirklichung seiner Pläne zu langsam vor sich geht. 35

Er wendet sich aber von der Magie, von Mephistopheles ab. Durch die allegorische Figur Sorge—„sie schleicht sich durchs Schlüsselloch

[1] In einer Zeile Goethes, die er im „Faust" nicht verwendete, heißt es: „Faustus, mit Recht der Glückliche genannt."

hinein"—erblindet er; denn die Welt hat wieder Macht über ihn.

Rückblickend spricht Faust über sein Leben, seit er die Wette mit Mephistopheles unterschrieben hat. Er bejaht das Leben auf dieser Erde, die ihm einst zu klein war. Schon zur Zeit der Vereinigung mit Helena hatte er gesagt: „Dasein ist Pflicht und wär's ein Augenblick." Er bejaht das Leben, obwohl er „unbefriedigt jeden Augenblick" ist.

sich hineinschleichen *creep in*
erblinden *grow blind*
rückblickend *in retrospect*
bejahen *affirm (value of)*
einst *at one time*
die Pflicht *obligation, duty*
unbefriedigt *unsatisfied*

MITTERNACHT

FAUST

Ich bin nur durch die Welt gerannt.
Ein jed' Gelüst ergriff ich bei den Haaren;
Was nicht genügte, ließ ich fahren,
Was mir entwischte, ließ ich ziehn.
Ich habe nur begehrt und nur vollbracht 5
Und abermals gewünscht—und so mit Macht
Mein Leben durchgestürmt: erst groß und mächtig,
Nun aber geht es weise, geht bedächtig.
Der Erdenkreis ist mir genug bekannt.
Nach drüben ist die Aussicht uns verrannt; 10
Tor, wer dorthin die Augen blinzelnd richtet,
Sich über Wolken seinesgleichen dichtet!
Er stehe fest und sehe hier sich um:
Dem Tüchtigen ist diese Welt nicht stumm!
Was braucht er in die Ewigkeit zu schweifen? 15
Was er erkennt, läßt sich ergreifen.
Er wandle so den Erdentag entlang;
Wenn Geister spuken, geh' er seinen Gang,
Im Weiterschreiten find' er Qual und Glück,—
Er, unbefriedigt jeden Augenblick! 20

das Gelüst *desire, lust*
genügen *suffice*
entwischen *escape*
vollbringen *achieve*
abermals *once more*
durchstürmen *rush through*
bedächtig *cautiously*
nach drüben *to the beyond* die Aussicht *view* verrannt *blocked* blinzeln *blink* richten *turn*
sich dichten *imagine*
tüchtig *capable, active* stumm *silent, unresponsive* schweifen *roam*
erkennen *recognize*
der Erdentag *life on earth*
der Gang *way*
weiterschreiten *go onward*
unbefriedigt *unsatisfied*

MIDNIGHT

FAUST

I have but hurried through the world, I own.
I by the hair each pleasure seized;
Relinquished what no longer pleased,
That which escaped me I let go,
5 *I've craved, accomplished, and then craved again;*
Thus through my life I've stormed—with might and
main,
Grandly, with power, at first; but now, indeed,
It goes more cautiously, with wise heed.
10 *I know enough of earth, enough of men;*
The view beyond is barred from mortal ken;
Fool, who would peer yonder with blinking eyes,
And of his fellows dreams above the skies!
Firm let him stand, the prospect round him scan,
15 *Not mute the world to the true-hearted man.*
Why need he wander through eternity?
What he can grasp, that only knoweth he.
So let him roam adown earth's fleeting day;
If spirits haunt, let him pursue his way;
20 *In joy or torment ever onward stride,*
Though every moment still unsatisfied!

beyond life after death *ken* knowledge

fellows creatures like himself

bedächtig *deliberate*

die Unsterblichkeit *immortality*

zuteil werden *fall to a person's share* die Spur *trace, sign*

gelobt *promised*

5. Mose *Deuteronomy*

erobern *earn by struggle*

verfluchen *curse*

Faust blickt zurück auf sein Leben, groß und mächtig in der kleinen Welt, und nun weise und bedächtig in der großen Welt. Er hat das Leben auf dieser Erde kennengelernt und erfahren, daß dem tätigen Menschen schon hier Unsterblichkeit zuteil wird; denn die Spur des Menschen Tätigkeit kann nicht untergehen.

Der hundert Jahre alte Faust—so sprach Goethe von ihm—ist blind, aber seine Kraft ist ungebrochen. In einer Vision der Zukunft sieht er ein neues Land, wie Moses das gelobte Land von fern sieht (5. Mose, 34, 4). Freie, faustisch-tätige Menschen erobern sich täglich Freiheit und Leben. Vom Ich hatte Faust den Weg zum Wir gefunden und findet nun den Weg zum Du. Noch einmal sagte er ja zu dem Leben, das er einst verflucht hatte.

Faust. Lithographie von Emil Nolde

GROSSER VORHOF DES PALASTS

der Vorhof *courtyard*

FAUST

Ein Sumpf zieht am Gebirge hin,
Verpestet alles schon Errungene;
Den faulen Pfuhl auch abzuziehn,
Das Letzte wär' das Höchsterrungene.
Eröffn' ich Räume vielen Millionen, 5
Nicht sicher zwar, doch tätig-frei zu wohnen.
Grün das Gefilde, fruchtbar! Mensch und Herde
Sogleich behaglich auf der neusten Erde,
Gleich angesiedelt an des Hügels Kraft,
Den aufgewälzt kühn-emsige Völkerschaft! 10
Im Innern hier ein paradiesisch Land;
Da rase draußen Flut bis auf zum Rand,
Und wie es nascht, gewaltsam einzuschießen,
Gemeindrang eilt, die Lücke zu verschließen.
Ja, diesem Sinne bin ich ganz ergeben, 15
Das ist der Weisheit letzter Schluß:
Nur der verdient sich Freiheit wie das Leben,
Der täglich sie erobern muß.
Und so verbringt, umrungen von Gefahr,
Hier Kindheit, Mann und Greis sein tüchtig 20
Jahr.—
Solch ein Gewimmel möcht' ich sehn,
Auf freiem Grund mit freiem Volke stehn.
Zum Augenblick dürft' ich sagen:
„Verweile doch, du bist so schön! 25
Es kann die Spur von meinen Erdentagen
Nicht in Äonen untergehn."
Im Vorgefühl von solchem hohen Glück
Genieß' ich jetzt den höchsten Augenblick.

FAUST *sinkt zurück, die Lemuren fassen ihn* 30
auf und legen ihn auf den Boden.

der Sumpf *swamp* hinziehen *extend along* verpesten *pollute* erringen *achieve* der Pfuhl *pool* abziehn *drain off*
das Höchsterrungene *highest achievement*
das Gefilde *fields* die Herde *herd* behaglich *comfortable* ansiedeln *settle* die Kraft *vigor* aufwälzen *raise* kühn *bold* emsig *industrious* die Völkerschaft *group of people*
rasen *rage* der Rand *brink*
naschen *nibble* gewaltsam *violently* einschießen *rush in* der Gemeindrang *common impulse* die Lücke *gap* ergeben *devoted*
der Schluß *conclusion*
sich verdienen *earn, deserve*
erobern *win (by effort)*
umringen *surround*
der Greis *old man*
das Gewimmel *swarm*
der Grund *soil*
die Spur *trace(s)*
untergehn *perish*
das Vorgefühl *anticipation*
Lemuren *spirits of the dead*

GREAT FORE-COURT OF THE PALACE

FAUST

A marsh along the mountain chain
Infecteth what's already won;
Also the noisome pool to drain—
My last best triumph then were won:
5 *To many millions space I thus should give,*
Though not secure, yet free to toil and live;
Green fields and fertile; men, with cattle blent, — blent *intermingled*
Upon the newest earth would dwell content,
Settled forthwith upon the firm-based hill,
10 *Uplifted by a valiant people's skill;*
Within, a land like Paradise; outside,
E'en to the brink, roars the impetuous tide,
And as it gnaws, striving to enter there,
All haste, combined, the damage to repair.
15 *Yea, to this thought I cling, with virtue rife,*
Wisdom's last fruit, profoundly true:
Freedom alone he earns as well as life,
Who day by day must conquer them anew.
So girt by danger, childhood bravely here,
20 *Youth, manhood, age, shall dwell from year to year;*
Such busy crowds I fain would see,
Upon free soil stand with a people free;
Then to the moment might I say:
Linger awhile, so fair thou art!
25 *Nor can the traces of my earthly day*
Through ages from the world depart!
In the presentiment of such high bliss,
The highest moment I enjoy—and 'tis this.

FAUST sinks back, the Lemures lay hold of
30 him and lay him upon the ground.

MEPHISTOPHELES

Ihn sättigt keine Lust, ihm g'nügt kein Glück,
So buhlt er fort nach wechselnden Gestalten;
Den letzten, schlechten, leeren Augenblick,
Der Arme wünscht ihn festzuhalten.
Der mir so kräftig widerstand, 5
—Die Zeit wird Herr!—der Greis hier liegt im Sand.
Die Uhr steht still—

CHOR

Steht still! Sie schweigt wie Mitternacht.
Der Zeiger fällt— 10

MEPHISTOPHELES

Er fällt! es ist vollbracht.

CHOR

Es ist vorbei.

MEPHISTOPHELES

Vorbei! Ein dummes Wort. Warum vorbei?
Vorbei und reines Nicht, vollkommnes Einerlei!
Was soll uns denn das ew'ge Schaffen, 15
Geschaffenes zu nichts hinwegzuraffen?
„Da ist's vorbei!" Was ist daran zu lesen?
Es ist so gut, als wär' es nicht gewesen,
Und treibt sich doch im Kreis, als wenn es wäre.
Ich liebte mir dafür das Ewig-Leere. 20

sättigen *satisfy, satiate*
fortbuhlen nach *continue to court*
leer *empty, inane*
festhalten *hold on to*
kräftig *vigorously* widerstehen *stand up against*
vollbringen *finish*
vorbei *over and done with*
rein *pure* Nicht *naught* vollkommnes Einerlei *very same thing* sollen *be of avail*
hinwegraffen *snatch away*
lesen *interpret*
gut *same*
sich treiben *whirl*

MEPHISTOPHELES

Him could no pleasures sate, no joys appease — *sate* satisfy to the full
So wooed he ever changeful phantasies;
The last worst empty moment to retain,
E'en to the last, the sorry wretch was fain. — *fain* willing
5 *Me who so stoutly did withstand—*
Time conquers,—lies the old man on the sand!
The clock stands still—

CHORUS

Stands still, no sound is heard;
The index falls—

MEPHISTOPHELES

10 *It falls, 'tis finished now.*

CHORUS

Yes, it is past!

MEPHISTOPHELES

Past, 'tis a stupid word.
Why past?
Past and pure nothingness are one, I trow. — *trow* think
15 *Of what avail creation's ceaseless play?*
Created things forthwith to sweep away?
"There, now 'tis past."—'Tis past, what may it mean?
It is as good as if it ne'er had been,
20 *And yet as if it Being did possess,*
Still in a circle it doth ceaseless press:
I should prefer the Eternal-Emptiness.

J. H. Lips, Titelkupfer (nach Rembrandt) zu Goethes „Faust, Ein Fragment," 1790

In dem Interpretationsstreit um Goethes „Faust“ ist die Frage, ob Faust die Wette gewonnen oder verloren hat, die umstrittenste. Manche meinen, Faust habe im Sinne des Wortes und im höheren Sinne gewonnen; andere, er habe nur im höheren Sinne gewonnen; wieder andere glauben, er habe verloren; einige denken, er habe halb gewonnen und halb verloren; und wieder andere meinen, weder Faust noch Mephistopheles habe gewonnen oder verloren.[1]

Eindeutig ist die Frage nicht. Sicher aber ist, daß Faust sich auf kein Faulbett gelegt hat und daß gemeines Genießen im Sinne Mephistos keine Versuchung für ihn war. Zum Augenblick d ü r f t' er sagen: „Verweile doch . . .!“ Wenn er es aber in Zukunft sagen sollte, so meinte er es in seinem Sinn des Tätig-Seins.

Engel tragen Fausts Unsterbliches hinweg. Wieviel Anteil hat die göttliche Gnade und Liebe?

Es folgt die letzte Szene. Der Schauplatz ist nicht der Himmel. Er heißt Bergschluchten und liegt auf dem Weg nach oben. Die poetischen Symbole sind Verschmelzungen von christlichen Figuren mit Goetheschen Vorstellungen. Er entnahm sie dem Christentum, um sie verständlich zu machen und um der Szene Form zu geben.

der Streit *quarrel*
umstritten *disputed*
eindeutig *unequivocal, clear*
gemein *ordinary, vulgar* keine Versuchung *no temptation*
die Zukunft *future*
Unsterbliches *immortal part*
der Anteil *share* die Gnade *grace*
die Bergschluchten *mountain gorges* nach oben *upward*
die Verschmelzung *blending*
die Vorstellung *concept*
das Christentum *Christianity* verständlich *understandable*

[1]Siehe Ada M. Klett, *Der Streit um „Faust II“ seit 1900.* Jena, 1939, S. 63 ff.

BERGSCHLUCHTEN

schweben *soar*
Unsterbliches *immortal remains*

ENGEL *schwebend in der höheren Atmosphäre*
FAUSTENS *Unsterbliches tragend.*

edel *noble* das Glied *member*
sich bemühen *exert oneself*
erlösen *redeem*

Gerettet ist das edle Glied
Der Geisterwelt vom Bösen.
Wer immer strebend sich bemüht,
Den können wir erlösen.

gar *even*
teilnehmen *show concern for*
begegnen *meet* die selige Schar *Blessed Host*

Und hat an ihm die Liebe gar 5
Von oben teilgenommen,
Begegnet ihm die selige Schar
Mit herzlichem Willkommen.
. . .

CHORUS MYSTICUS

vergänglich *transitory*
das Gleichnis *symbolic image*
unzulänglich *insufficient*
das Ereignis *event*
unbeschreiblich *indescribable*
weiblich *feminine*

Alles Vergängliche 10
Ist nur ein Gleichnis;
Das Unzulängliche,
Hier wird's Ereignis;
Das Unbeschreibliche,
Hier ist's getan; 15
Das Ewig-Weibliche
Zieht uns hinan.

MOUNTAIN DEFILES

defiles gorges

ANGELS hovering in the higher atmosphere bearing the immortal part of FAUST

Saved is this noble soul from ill,
Our spirit-peer. Whoever
Strives forward with unswerving will,—
Him can we aye deliver;
5 *And if with him celestial love*
Hath taken part,—to meet him
Come down the angels from above;
With cordial hail they greet him.
. . .

CHORUS MYSTICUS

10 *All of mere transient date*
As symbol showeth;
Here, the inadequate
To fulness groweth;
Here the ineffable
15 *Wrought is in love.*
The ever-womanly
Draws us above.

Die letzte Szene ist so sonnenhell wie die erste, der „Prolog im Himmel." In den Versen der Engel, sagte Goethe am 6. Juni, 1831, „ist der Schlüssel zu Fausts Rettung enthalten. In Faust selber eine immer höhere und reinere Tätigkeit bis ans Ende, und von oben die ihm zu Hilfe kommende ewige Liebe." 5

In den Bergschluchten gibt es tiefe und hohe Regionen, in denen sich die Figuren bewegen. Faustisch streben sie nach oben. Eine unter ihnen, „Die sich einmal nur vergessen,/Die nicht ahnte, daß sie fehle", ist Gretchen. „Wir werden uns wiedersehn", hatte sie im Kerker zu Faust gesagt. Hier bittet sie die Mater gloriosa, Faust belehren zu dürfen. Die Antwort lautet: „Komm! Hebe dich zu höhern Sphären,/ Wenn er dich ahnet, folgt er nach." 10 15

Die Worte des Chorus Mysticus sind die letzten des Werkes. Sie sind nicht leicht zu verstehen. 20

Das Vergängliche—alles Irdische ist vergänglich—ist nichts als ein Abbild des Ewigen, des Unvergänglichen. Was auf Erden nicht verwirklicht wird—alles Irdische ist unzulänglich—wird in dieser Sphäre verwirklicht. Hier ist getan, was man auf Erden nicht beschreiben kann. Das Ideal, das sich von Menschen ahnen läßt, und das ewige Werden sind im Weiblichen verkörpert. Das Symbol des Ideals und des Werdens zieht den Menschen hinan. 25 30

In der Gestaltung des „Faust" erfolgte ein schöpferisches Verschmelzen von Formen und Gedanken. In der Geschichte des Dramas überhaupt bis Goethe ist die Hauptfigur bei aller Individualität Repräsentant einer sozialen Schicht. Goethes Faust ist Repräsentant keiner sozialen Schicht, sondern des Menschen überhaupt. 35

Das Werk ist so vielschichtig wie das Leben. Der Weg Fausts ist von tiefer zu tiefster Verzweif-

bis an *up to*
oben *above*
ahnen *suspect*
fehlen *err*
belehren *instruct*
sich heben *ascend, rise*
vergänglich *transitory* irdisch *earthly* nichts als *nothing but*
verwirklichen *realize*
unzulänglich *inadequate*
sich ahnen läßt *may be sensed* das Werden *growing, evolution* weiblich *feminine* verkörpern *embody* hinanziehen *draw upward*
erfolgen *take place*
schöpferisch *creative* das Verschmelzen *fusion*
die Schicht *class, stratum*
vielschichtig *many-layered, complex*

lung zu einem Vorgefühl von Glück, wenn er an ein freitätiges Volk der Zukunft denkt. Warum heißt das Werk dann eine Tragödie? Faust erträumt sich ein Bild der Zukunft, erlebt die Verwirklichung aber nicht und geht am Leben zugrunde.

Das Ende des Werkes entspricht dem Ton des Ganzen. Der Schluß ist offen.

das Vorgefühl *anticipation*

sich erträumen *dream of*

am Leben zugrunde gehen *perish attempting to cope with life*

entsprechen *be in accord with*

offen *open, open-ended*

Nach Goethe

Von den Zeitgenossen Goethes und von späteren Dichtern wurde das Faustthema in immer neuen Wendungen abgewandelt. Es gibt edle und unedle, tragische und nicht-tragische Faustfiguren. Die Liste der Dichter, die sich mit dem Fauststoff befaßten, liest sich wie ein „Wer ist Wer in der Literatur." Während Werke deutscher Sprache überwiegen, gibt es englische und französische, spanische und italienische, holländische und skandinavische, ungarische, rumänische, polnische und russische Faustdichtungen—um von der Musik ganz zu schweigen. Und die Worte „Faust und das Faustische" bilden ein Kapitel deutscher Ideologie, wie es einem in Buch von Hans Schwerte heißt (Stuttgart, 1962).

Unter den zahlreichen Faustdichtungen gibt es einen Roman, in dem der sagenhafte Faust in hochentwickelter, moderner Gestalt wieder aufersteht. Das Werk, das auf die „Historia von D. Johann Fausten . . ." in auffallender Weise zurückgeht, ist Thomas Manns „Doktor Faustus. Das Leben des deutschen Tonsetzers Adrian Leverkühn, von einem Freunde erzählt" (1947).

Anfang 1943 ließ sich Thomas Mann, der damals in Los Angeles lebte, das Volksbuch von der Library of Congress kommen. Er las den „Hexenhammer", studierte Bücher über Musik und Musiker und unterhielt sich mit dem Zwölf-Ton-Komponisten Arnold Schönberg. An einem Sonntagmorgen, Ende Mai 1943, schrieb er die erste Seite seines Faustromans.

Die unheimliche Hauptfigur ist der Tonsetzer Adrian Leverkühn, dessen Familienname Temperament und Kühn-Abenteuerliches andeutet.

Die Ähnlichkeit zwischen der Historia und dem Roman Thomas Manns ist in der Tat auffallend. Leverkühn ist der Sohn eines Bauern und stammt aus der mitteldeutschen Gegend Fausts. Er ist ein heller Kopf, stolz und vorwitzig, stu-

die Wendung *change* abwandeln *vary* edel *noble* unedel *ignoble*
sich befassen mit *deal with*
überwiegen *predominate*
ganz zu schweigen *not to speak of*
bilden *form*
zahlreich *numerous*
hochentwickelt *sophisticated* auferstehen *be resurrected*
auffallender Weise *a striking way*
der Tonsetzer *composer*
sich unterhalten *converse*
der Komponist *composer*
kühn *bold, audacious* andeuten *suggest*
die Ähnlichkeit *similarity*
stammen aus *come from* mitteldeutsch *central German* vorwitzig *inquisitive*

diert Theologie, hat eine lange Unterredung mit dem Teufel und schließt einen Pakt mit ihm. Am letzten Tag des vierundzwanzigsten Jahres lädt er Freunde zu sich ein und erzählt ihnen von seinem 5 Teufelspakt. Was „zum Teufel will, das läßt sich nicht aufhalten!" Er meint, seine Sünde ist größer, als daß sie ihm könnte verziehen werden.

einladen *invite*

läßt sich nicht aufhalten *can't be stopped*

Die Ähnlichkeit mit der Historia ist groß, aber die Unterschiede sind augenfällig. Lever- 10 kühns letzte Komposition, „Dr. Fausti Weheklag", ist die Vertonung des Volksbuches aus dem sechzehnten Jahrhundert. Manns Tonsetzer verwendet aber die Zwölf-Ton-Technik des zwanzigsten Jahrhunderts. Die zwölf Silben, „denn ich 15 sterbe als ein böser und guter Christ", bilden das Generalthema.

augenfällig *evident*

die Vertonung *musical arrangement* verwenden *employ*

die Silbe *syllable*

Das fünfundzwanzigste von siebenundvierzig Kapiteln enthält die Unterredung Leverkühns mit der Teufelsfigur. „Du siehst mich", sagt die Ge- 20 stalt dem modernen Tonsetzer, „also bin ich dir. Lohnt es sich zu fragen, ob ich wirklich bin? Ist wirklich nicht, was wirkt, und Wahrheit nicht Erlebnis und Gefühl?" Die Teufelshalluzination Thomas Manns ist ein Teil von Leverkühns Ich. 25 „Ihr sagt lauter Dinge, die in mir sind und aus mir kommen, aber nicht aus euch", spricht Adrian zu ihm.

sich lohnen *be worth*

wirken *have an effect, work*

Schon bei Dostojewski, der Mann stark beeinflußte, konnte man Ähnliches lesen. In dem 30 Roman „Die Brüder Karamasow" sagte der nervenkranke Iwan (= Johannes) zu der Teufelsgestalt: „Du bist ich, ich, ich selbst rede und nicht du. . . . Du bist meine Halluzination. Du bist die Verkörperung meines Ich . . . meiner 35 Gedanken und Gefühle, aber nur der niedrigsten und dümmsten!" Dostojewskis Teufelsfigur meint, „an Gott glauben ist in unserem Jahrhundert zu rückständig, ich aber bin doch der Teufel, an mich kann man doch—!"

Ähnliches *something similar*

nervenkrank *neurotic*

die Verkörperung *personification*

niedrig *low*

rückständig *old-fashioned*

40 Adrian Leverkühn glaubt schon an das Teuflische, aber wie steht es mit seinen Gedanken und Gefühlen? Was will er vom Teufel? Ein Wesenszug

wie steht es mit *how about*

der Wesenszug *characteristic feature*

künstlerisches Schaffen *artistic creativeness*

die Abwandlung *variation*

fragwürdig *questionable*

schöpferisch *creatively* belebend *invigorating*

die Parodie *parody, imitation for comic effect*

der Durchbruch *breakthrough*

verteufelt *infernally* toll *frantic* werkgefüllt *replete with creative work*

der Hang *inclination* nebelhaft *foggy*

berauschend *intoxicating* der Wesenszug *characteristic feature*

verleihen *endow with*

die Mystik *mysticism* die Zahlenmystik *magic of numbers* die Buchstabensymbolik *symbolism of letters* sich befassen mit *engage in*

O homo fuge (Lat.) *O, human being, flee*

des kranken Leverkühn ist seine Kälte. „Ich bin nun einmal so kalt", sagt er. Die Teufelsfigur verspricht ihm Gefühl und Wärme—zu musikalisch-künstlerischem Schaffen. Sein Leben muß aber eiskalt bleiben. Der Teufel wird ihm in allem gehorsam sein, wenn er absagt „allen, die da leben, allem himmlischen Heer und allen Menschen." Er darf keinen Menschen lieben. Aus der Lebenskälte, prophezeit der Teufel, wird er in „die Flammen der Produktion" flüchten.

Thomas Mann bringt eine Abwandlung von zwei Motiven, die für sein eigenes Schaffen wesentlich sind: das Fragwürdige der Kunst in unserer Zeit und das Kranksein als schöpferisch belebende Kraft. Ist künstlerisches Schaffen unmöglich geworden, lautet eine Frage, ohne Teufelshilfe und „höllisch Feuer unter dem Kessel"? Kann man heute nur Parodien schreiben? lautet eine andere.

Leverkühn verkauft sich, um zu einem schöpferischen Durchbruch zu kommen. Nach vierundzwanzig Jahren eines extravaganten Daseins, einer verteufelt tollen Zeit und einer „werkgefüllten Ewigkeit von Menschenleben" wird der Teufel die Macht haben, mit ihm „zu schalten und walten, zu führen und regieren,—mit allem, es sei Leib, Seel, Fleisch, Blut und Gut in alle Ewigkeit."

Ein wesentliches Moment ist die Frage der Musik. Thomas Mann meinte, der Hang zur nebelhaften Romantik, zur romantisch-berauschenden Musik sei ein deutscher Wesenszug, der klarem Denken und gesundem politischem Leben im Wege stünde. Der Autor verleiht dem deutschen Tonsetzer Adrian Leverkühn den Hang zur Mystik, Zahlenmystik, Buchstabensymbolik, zum Aberglauben und zur Musik. Wenn er sich von der Theologie abwendet, um sich mit der Musik zu befassen, spricht eine innere Stimme die Worte, die der Doktor Faust der Sage beim Unterschreiben des Paktes in seiner Hand sah: „O homo fuge!" Leverkühn wollte sich keinen Theologen mehr nennen, sagt die Teufelshalluzination später; er legte die Heilige Schrift beiseite und beschäftigte sich mit den Figuren, Symbolen und Beschwörungen der Musik.

Mit der Musik bringt Thomas Mann das—sagen wir—deutsche Problem zur Sprache. Ursprünglich wollte er einen Roman der europäischen Epoche des zwanzigsten Jahrhunderts schreiben und formulierte den Untertitel: „Das seltsame Leben Adrian Leverkühns . . .“ Später nahm er das Wort deutsch in den Untertitel auf.

Im Laufe von Adrians Unterredung mit dem Teufel sagt dieser über die deutsche Sprache: „Ich versteh es. Ist gerade recht meine Lieblingssprache. Manchmal versteh ich nur deutsch.“ Es bestehen sogar Parallelen zwischen dem Leben Leverkühns und dem nationalsozialistischen Deutschland, aber Thomas Manns Tonsetzer und Deutschland sind nicht gleichzusetzen. Auch bestehen Parallelen zwischen Leverkühns und Friedrich Nietzsches romantischer Leidenschaft, tiefster, kältester Einsamkeit, Hang zur Theologie und Musik und der Auffassung, daß schöpferische Inspiration etwas Dämonisches habe. Aber Dr. Faustus und Nietzsche sind auch nicht gleichzusetzen.

Wesentlicher als Vergleich ist die Bedeutung der symphonischen Kantate „Dr. Fausti Weheklag“, des Gegenstückes zu Beethovens Neunter Symphonie. Während Beethovens Symphonie mit dem Chorfinale „Freude, schöner Götterfunken“ ausklingt, lautet der Schlußsatz von Adrian Leverkühns Kantate wie „die Klage Gottes über das Verlorengehen seiner Welt, wie ein kummervolles ‚Ich habe es nicht gewollt‘ des Schöpfers.“

Besteht überhaupt keine Hoffnung? Der Autor formuliert es als Frage und als Möglichkeit. Sie wäre ein religiöses Paradox: „die Hoffnung jenseits der Hoffnungslosigkeit . . . das Wunder, das über den Glauben geht.“ Der letzte Laut der Kantate ist das hohe g eines Cello. „Dann ist nichts mehr, — Schweigen und Nacht.“ Wenn dieser letzte Laut aber ausklingt, wirkt er nicht mehr als Ausdruck der Trauer, sondern „steht als Licht in der Nacht.“

die Beschwörung *incantation*

sagen wir *let us say* zur Sprache bringen *broach*

formulieren *formulate* seltsam *strange* aufnehmen *take in*

ist gerade recht *happens to be* Lieblings- *favorite* es bestehen *there are*

gleichsetzen *equate*

die Leidenschaft *passionate vehemence* die Einsamkeit *loneliness* die Auffassung *concept*

der Vergleich *comparison*

die Kantate *cantata, choral composition* das Gegenstück *antithesis*

die Freude *joyousness* der Götterfunken *divine spark* ausklingen mit *end in* lauten *sound* der Schlußsatz *final movement*

kummervoll *sorrowful*

jenseits *beyond*

der Laut *sound, tone*

ausklingen *die away*

die Trauer *grief*

sich halten an *adhere to*

entreißen *snatch from*

die Erlösung *redemption* die Rede sein von *be talk of*

die Schlechtigkeit *wickedness*

der Fleiß *industry* zäh *stubborn* die Bemühung *effort* vollenden *complete* anrechen *give credit for*

andeuten *suggest*

Was ist die Bedeutung des Lichtes in der Nacht? Wie steht es mit dem Pakt? Hat Dr. Faustus sich an die Bedingungen gehalten? An eine nicht! Denn er hat einen Menschen, den fünfjährigen Sohn seiner Schwester, geliebt, sehr geliebt und mußte erfahren: es soll nicht sein. Das Kind wird dem Leben entrissen.

Ist mit dem Licht nun von Gnade und Erlösung die Rede? Adrian meint in seiner Rede an die Freunde: „Vielleicht kann gut sein aus Gnade, was in Schlechtigkeit geschaffen wurde." Vielleicht würden ihm sein Fleiß und die zähe Bemühung, sein Werk zu vollenden, angerechnet. Von der Möglichkeit der Gnade ist also die Rede. Thomas Mann deutet an, was Goethe ausspricht.

Schlußwort

das Schlußwort *summary*

Teufel und Dämonen sind äußerliche Erscheinungen in der Geschichte von Doktor Faust und in den Gestaltungen des Stoffes. Das Gewand stammt aus dem sechzehnten Jahrhundert; die 5 wesentlichen Momente sind die Sehnsüchte der Menschen, die sich gegen die Unzulänglichkeiten des engen Erdenlebens auflehnen und von extravagantem Dasein träumen.

Das Thema Faust entspringt uralten allzu- 10 menschlichen Wünschen. Der Stoff ist aber noch nicht Literatur. Große Literatur entsteht erst durch Wortkunst und Gestaltung.

äußerlich *external* die Erscheinung *manisfestation*

das Gewand *guise, dress*

die Sehnsucht *longing*

die Unzulänglichkeit *insufficiency*

sich auflehnen *rebel*

entspringen *originate in* allzumenschlich *all-too-human*

Übungen

Kapitel eins

Faust: Legende und Wirklichkeit

I. *Wer ist Faust?*

Welchen der Sätze unter a und b könnte man für den ersten Satz setzen?

1. Hat ein Mann mit Namen Faust wirklich gelebt?
   a. Hat man wirklich über Faust Bücher geschrieben?
   b. Hieß eine historische Figur wirklich Faust?

2. In einem bekannten Wörterbuch steht eine Faust-Definition.
   a. Man kennt das Wörterbuch, in dem die Faust-Definition steht.
   b. In bekannten Wörterbüchern stehen immer Faust-Definitionen.

3. Meint man eine historische Persönlichkeit?
   a. Meint man die Historia von Dr. Faust?
   b. Denkt man an einen Menschen, der wirklich gelebt hat?

4. Faust lebte in der ersten Hälfte des sechzehnten Jahrhunderts.
   a. Faust lebte nach 1500.
   b. Faust lebte ein halbes Jahrhundert.

5. Im Laufe seines Lebens hörte man nichts von einem Teufelspakt.
   a. Solange er lebte, hörte man nichts von einem Teufelspakt.
   b. Er selber hörte nichts von einem Teufelspakt.

6. Man denkt vor allem an Goethes Werk.
   a. Es ist ein Werk für alle.
   b. Man denkt erst an Goethes Werk.

7. Man hat unklare Vorstellungen von Faust.
   a. Die Menschen machen sich kein klares Bild von Faust.
   b. Die Menschen machen sich kein unklares Bild von Faust.

8. Die ungenaue Definition des Wörterbuches ist charakteristisch.
   a. In Wörterbüchern sind die Definitionen immer ungenau.
   b. Man liest oft ungenaue Definitionen.

II. *Die historische Persönlichkeit*

1. Über die historische Persönlichkeit weiß man nicht vieles.
   a. Nichts weiß man über die historische Persönlichkeit.
   b. Über die historische Persönlichkeit ist nicht vieles bekannt.

2. Trithemius beschäftigte sich mit der weißen Magie.
   a. Trithemius wußte viel über die Magie.
   b. Trithemius beschäftigte sich mit himmlischen Geistern.

3. Faust ist ein Schwindler, schreibt Trithemius.
   a. Faust ist ein Philosoph, schreibt Trithemius.
   b. Faust ist ein Scharlatan, schreibt Trithemius.

4. Er ist unwissend.
   a. Er weiß viel.
   b. Er weiß so gut wie nichts.

5. Er hat ein großes Wissen.
   a. Er weiß viel.
   b. Er weiß wenig.

6. Er prahlt in Gegenwart vieler Menschen.
   a. Er prahlt, wenn viele Menschen da sind.
   b. Viele Menschen prahlen, wenn er da ist.

7. Waren Georg und Johann Faust ein und derselbe Mensch?
   a. Gebrauchte ein und derselbe Mensch zwei Vornamen?
   b. Hatten sie ein und denselben Familiennamen?

8. Im Jahre 1505 war Faust ungefähr fünfundzwanzig Jahre alt.
   a. Im Jahre 1505 war Faust genau fünfundzwanzig Jahre alt.
   b. Im Jahre 1505 war Faust nicht viel mehr oder nicht viel weniger als fünfundzwanzig Jahre alt.

9. Konrath Muth berichtete über einen Georg Faust.
   a. Konrath Muth las über einen Georg Faust.
   b. Konrath Muth schrieb über einen Georg Faust.

10. Man wies Faust aus Ingolstadt aus.
    a. Man sagte Faust, er kann gehen.
    b. Man sagte Faust, er muß gehen.

11. Vier Jahre später taucht er in Nürnberg auf.
    a. Vier Jahre später weist man ihn aus Nürnberg aus.
    b. Vier Jahre später erscheint er in Nürnberg.

12. Faust ist 1539 nicht mehr unter den Lebenden.
    a. Faust lebt 1539 unter falschem Namen.
    b. Faust ist 1539 schon tot.

13. Wenn Faust etwas zu bezahlen hatte, war er bald verschwunden.
    a. Wenn Faust viel Geld hatte, war er bald verschwunden.
    b. Wenn Faust etwas zu bezahlen hatte, konnte man ihn nicht finden.

14. Hin ist hin.
    a. Es ist fort.
    b. Man bekommt es wieder.

15. Die letzte Nachricht ist aus der Neuen Welt.
    a. Die letzte Nachricht ist aus Deutschland.
    b. Die letzte Nachricht ist aus der westlichen Hemisphäre.

16. Die Menschen glaubten an die Magie.
    a. Die Menschen glaubten an Faust.
    b. Die Menschen glaubten an die Zauberei.

17. Die Erzählungen über Faust gingen von Mund zu Mund.
    a. Faust war nicht sehr bekannt.
    b. Faust war sehr bekannt.

18. Faust ist bekannter als alle Magier, Okkultisten und Wahrsager.
    a. Faust spielt als Magier, Okkultist und Wahrsager keine Rolle.
    b. Man kennt Faust besser als alle Magier, Okkultisten und Wahrsager.

III. *Die Legende von Doktor Faust*

Setzen Sie a oder b!

1. In der sagenhaften Geschichte von Faust war . . . der Hauptschauplatz.
    a. Die Stadt Würzburg
    b. Die Stadt Wittenberg

2. Faust beschwört den Teufel . . .

   a. im Walde bei Wittenberg

   b. in einem Wirtshaus bei Wittenberg

3. Hinter den älteren deutschen Universitäten stand . . .

   a. die Kirche

   b. der Kaiser

4. Der Rektor der Universität Wittenberg hatte in . . . studiert.

   a. Bologna

   b. Berlin

5. Als Luther nach Wittenberg kam, war er . . . Jahre alt.

   a. fünfundvierzig

   b. fünfundzwanzig

6. Der bekannteste Bürger von Wittenberg war . . .

   a. Faust

   b. Luther

7. Melanchthon hatte auf der Universität . . . studiert.

   a. Leipzig

   b. Heidelberg

8. Melanchthon begann sein Studium, als er . . . Jahre alt war.

   a. zwölf

   b. vierzehn

9. Nach Melanchthon hatte Faust in . . . Magie studiert.

   a. Koblenz

   b. Krakau

10. In Venedig sagte Faust, er würde . . . fliegen.
    a. in die Hölle
    b. in den Himmel

11. Als Faust noch lebte, hatte er . . . bei sich.
    a. einen Wolf
    b. einen Hund

12. Faust nannte den Teufel . . .
    a. seinen Bruder
    b. seinen Schwager

13. Im Volksbuch steht, . . . habe die Geschichte seines Lebens geschrieben.
    a. der Teufel
    b. er selbst

14. Die Bücher, die unter Fausts Namen erschienen, sind . . .
    a. alle von ihm
    b. nicht von ihm

15. Mit . . . konnten die Herausgeber ein gutes Geschäft machen.
    a. dem Namen Johann
    b. dem Namen Faust

IV. *Die Namen Faust und Mephostophiles*

Welche Antwort ist die richtige?

1. Was bedeutet der Name Faust?
    a. Er bedeutet vielleicht „geballte Hand.“
    b. Er bedeutet vielleicht „der Glückliche.“

2. Welche Namen verwechselte man oft?

   a. Man verwechselte oft Faust und Fürst.

   b. Man verwechselte oft Faust und Fust.

3. Warum meinte man, der Teufel hatte die Hand im Spiel, wenn ein Mensch viel las und spekulierte?

   a. Man meinte, den Unbeherrschten reitet der Teufel.

   b. Das weiß der Teufel.

4. Hat sich der Zauberer Johann den Namen Faust selber zugelegt?

   a. Der Familienname Faust ist ja kein seltener Name.

   b. Vielleicht dachte er an den Ort, wo er geboren wurde.

5. Ist der Ursprung des Namens Mephostophiles dunkel?

   a. Man weiß, was er bedeutet.

   b. Es ist ein klarer Fall.

6. Ist es etwas Neues, daß der Dämon Satans einen Namen hat?

   a. Es ist etwas Altes.

   b. Das gab es früher nicht.

V. *Das Wachsen der Legende*

Welcher Satz würde folgen?

1. Die Welt wird für die Menschen damals immer größer.

   a. Die Sonne scheint immer heller.

   b. Die Erde ist nicht mehr der Mittelpunkt der Welt.

2. Auch die Erde wird für die Menschen größer.

   a. Die Erde ist nicht mehr der Mittelpunkt der Welt.

   b. Kolumbus entdeckt die Neue Welt.

3. Man spricht von der Epoche des erwachenden kritischen Geistes.
   a. Die Erde wird immer größer.
   b. Am Fuß der Lampe ist es aber dunkel.

4. Unter den Massen herrscht der Aberglaube.
   a. Der Aberglaube ist ein Kind der Furcht.
   b. Der Aberglaube ist ein Kind des Glücks.

5. Es gibt viele Zauberformeln.
   a. Es gibt viele Astronomen.
   b. Es gibt viel Hokuspokus und Abrakadabra.

6. Dämonen sind überall.
   a. Gespenster gibt es aber nicht.
   b. Die Luft ist voll von Teufelsgestalten.

7. Dämonen erscheinen in vielerlei Tiergestalt.
   a. Sie erscheinen als Hunde, Affen und Drachen.
   b. Sie erscheinen vor allem in Menschengestalt.

8. Die Maler der Zeit malen spukhafte Szenen.
   a. Man denkt an Pieter Brueghel.
   b. Man denkt an Faust.

9. Rembrandt malt einen Magier.
   a. Er nannte den Magier Faust.
   b. Später nannte man den Magier Faust.

10. Man ersieht die höllische Atmosphäre der Zeit aus den Büchern.
    a. Man ersieht sie aus den Weltbeschreibungen.
    b. Man ersieht sie aus den Zauberbüchern.

11. In der christlichen Lehre gibt es einen Teufel.
   a. Er war ursprünglich eine Personifikation des Bösen.
   b. Er war ursprünglich ein böser Engel.

12. Zur Zeit der Reformation spielt der Satan eine besonders bedeutende Rolle.
   a. Alles Böse auf Erden kommt vom Teufel.
   b. Alles Gute auf Erden kommt vom Teufel.

13. 1487 erschien der „Hexenhammer."
   a. Es ist die Geschichte der Hexenverfolgungen.
   b. Es ist die juristische Basis für die Hexenverfolgungen.

14. Vor dem sechzehnten Jahrhundert hatten die Paktgeschichten meist kein tragisches Ende.
   a. Der reuige Christ konnte dem Satan entgehen.
   b. Der Satan wollte die Seele gar nicht.

15. Zur Zeit der Reformation holt der Teufel die Menschen.
   a. Der Teufel macht ihnen das Leben zur Hölle.
   b. Die Menschen fahren zur Hölle.

16. Es war ein fruchtbarer Boden für das Wachsen der Legende.
   a. Dämonen sind böse Wünsche.
   b. Die Menschen glauben an die Wirklichkeit böser Geister.

17. Die Menschen waren davon überzeugt, daß Faust einen Pakt mit dem Teufel geschlossen hatte.
   a. Die Menschen konnten es nicht glauben.
   b. Die Menschen glaubten es.

18. Es verwundert nicht, daß sich Faust mit der Astrologie beschäftigt.
   a. Durch die Chaldäer kam die Astrologie nach Griechenland.
   b. Die Astrologie blühte damals in ganz Europa.

VI. *Die Hauptmomente des Volksbuches*

Setzen Sie a oder b!

1. Die Astrologie spielt im Volksbuch eine . . . Rolle.
   a. unbedeutende
   b. nicht kleine

2. Ein Hauptmoment ist das Nicht-Glauben an . . .
   a. Vergebung
   b. Gott

3. Das Motiv des Wissensdurstes ist . . .
   a. ausgearbeitet
   b. nicht ausgearbeitet

4. Mephostophiles dient Faust . . . Jahre lang.
   a. vierundzwanzig
   b. vierzehn

5. Das Volksbuch endet mit dem Triumph
   a. des Himmels
   b. der Hölle

6. Manche meinen, der Verfasser ist weder . . . noch . . .
   a. protestantisch . . . katholisch
   b. fromm . . . gottlos

7. Der Verfasser war ein . . . Mensch.
   a. frommer
   b. gottloser

8. Ein Kommunist schrieb, der Verfasser war ein Organ . . .

   a. des Proletariats

   b. der herrschenden Klassen

9. Bis zum heutigen Tag verkaufen sich die Menschen für Geld, Macht, Ansehen, . . .

   a. Genuß

   b. Zauberei

10. Faust ist einer der großen Stoffe der . . .

   a. Magie

   b. Weltliteratur

Kapitel zwei

Die Historia von D. Johann Fausten

I. *Geburt und Studium*

Ergänzen Sie die Sätze!

1. Fausts Eltern waren gute . . . 2. Faust sollte . . . studieren. 3. Er wohnte bei seinem . . . 4. Er legte aber die Heilige . . . beiseite. 5. Was zum Teufel . . ., das läßt sich nicht aufhalten. 6. Schwarzkunst, . . . und Hexerei gefielen Faust ausgezeichnet. 7. Er wollte sich nicht mehr einen . . . nennen lassen. 8. Faust war ein ausgezeichneter . . . 9. Er kannte genau die . . . Christi. 10. Niemand kann zwei . . . dienen.

II. *Faust beschwört den Teufel*

Ergänzen Sie die Sätze!

1. Faust ging bei Wittenberg in einen . . . 2. An einem Kreuzweg zog er einige . . . 3. Der . . . lachte in sich hinein. 4. Der Teufel will Fausts Leib und seine . . . 5. Im Wald entstand ein . . . 6. Faust hörte ein liebliches . . . von Instrumenten. 7. Faust war überzeugt, daß ihm der Teufel . . . sei. 8. Der feurige Mann verwandelte sich in die . . . eines grauen Mönches. 9. Der Geist soll Faust morgen um . . . erscheinen. 10. Der . . . willigte schließlich ein.

III. *Fausts Unterredung mit dem Geist*

Fragen

1. Legte Faust dem Geist vier Artikel vor? 2. Hat der Geist die Macht, Fausts Wünsche zu erfüllen? 3. Ist der Geist ein Herrscher? 4. Ist Luzifers Macht klein? 5. Haben die höllischen Geister ihre wirkliche Wohnung verraten?

IV. *Fausts zweite Unterredung mit dem Geist*

Fragen

1. Wann ist die Vesperzeit? 2. Wer soll wem dienen? 3. Wo soll der Geist erscheinen? 4. Womit muß Faust unterschreiben? 5. Wie viele Forderungen hatte der Geist gemacht?

V. *Fausts dritte Unterredung mit dem Geist*

Fragen

1. Womit soll der Geist ein Zeichen geben, wenn er erscheint? 2. Wie heißt der Geist? 3. Wen verführt Faust? 4. Womit stach sich Faust eine Ader auf? 5. Wo konnte man die Worte „O homo fuge“ lesen?

VI. *Faust schreibt mit seinem Blut*

Fragen

1. Setzt Faust den Tiegel auf heiße oder auf kalte Kohlen? 2. Wird Faust Mephostophiles' oder Mephostophiles Fausts Lehrer sein? 3. Wird Mephostophiles Faust vierzehn oder vierundzwanzig Jahre dienen? 4. Hat sich Faust Mephostophiles oder Mephostophiles Faust verschrieben? 5. Unterschreibt Faust mit seinem oder mit Mephostophiles' Blut?

VII. *Die Kunst des Teufels*

Richtig oder falsch?

1. Der Geist erscheint in der Gestalt eines feurigen Mannes. 2. Dichte Nebelwolken verhüllen den ganzen Raum. 3. Vor Faust lagen zwei Säcke voller Gold.

4. Faust hörte Musik und dachte, er wäre in der Hölle. 5. Faust meint, Mephostophiles hat einen wunderbaren Anfang gemacht.

VIII. *Mephostophiles dient Faust auf seine Weise*

Setzen Sie a oder b!

1. Faust richtete sein Leben wie ein Teufel ein.

   a. Er hat recht, wie ein Teufel zu leben.

   b. Er lebte wie ein rechter Teufel.

2. Wagner war sein Famulus.

   a. Wagner diente Faust.

   b. Faust diente Wagner.

3. Mephostophiles erschien stets in der Gestalt eines Mönches.

   a. Immer erschien er so.

   b. Zuweilen erschien er so.

4. Vögel flogen gekocht zum Fenster herein.

   a. Man brauchte sie nicht zu kochen.

   b. Man mußte sie kochen.

5. Zuweilen hat Mephostophiles Kleider gestohlen.

   a. Er hat für die Kleider bezahlt.

   b. Er hat für die Kleider nicht bezahlt.

IX. *Faust will heiraten*

Richtig oder Falsch?

1. Faust meinte, die Seele stürbe mit dem Leib. 2. Er hatte keine Lust zu heiraten. 3. Der Teufel ist ein Freund der Ehe. 4. Der Teufel erschien ihm leibhaftig. 5. Mephostophiles ist nicht der Teufel selbst.

X. *Der zweite Teil der Geschichte. Die Kunst der Astronomie und Astrologie*

Ergänzen Sie die Sätze!

1. Faust begann, . . . zu machen. 2. Er richtete sich nach den Wahrsagungen seines . . . 3. Faust warnte die einzelnen . . . vor gewissen Gefahren. 4. Die Astrologen, sagt Mephostophiles, können in . . . nichts Bestimmtes vorhersagen. 5. In . . . Zeiten verstanden sich die Menschen noch auf die Kunst der Wahrsagung, meinte der Geist. 6. Doktor Faust wollte noch . . . wissen. 7. Was wissen die . . . und Astrologen über den Ursprung des Himmels, fragte er. 8. Am Anfang schuf Gott den Himmel aus dem Element des . . .

XI. *Die Schöpfung und die Geburt des ersten Menschen*

Richtig oder Falsch?

1. Faust war zuweilen traurig und schwermütig. 2. Der Dienst des Geistes kommt ihm teuer zu stehen. 3. Mephostophiles weigerte sich, Fausts Frage zu beantworten. 4. Faust dachte nicht lange über den Bericht des Geistes nach. 5. Im „Ersten Buch Mose“ stand es anders.

XII. *Faust fährt zu den Sternen*

Ergänzen Sie die Sätze!

1. Faust schrieb einen . . . an einen alten Schulfreund. 2. Faust und Jonas Viktor hatten gemeinsam in . . . studiert. 3. Viktor war ein guter . . . geworden. 4. Faust ist in einem . . . zu den Sternen gefahren. 5. Die Fahrt begann und endete an einem . . .

XIII. *Fausts Reisen in etliche Königreiche, Länder und Städte*

Richtig oder Falsch?

1. Im sechzehnten Jahr des Teufelspaktes machte Faust eine lange Reise. 2. Trier ist eine sehr alte Stadt. 3. Bei Mainz fließt der Main in den Rhein. 4. In Neapel stehen die Häuser mitten im Wasser. 5. Das Grab der Drei Könige ist in Köln. 6. In Aachen ist der Königsstuhl Karls des Großen. 7. Das Wort Basel kommt von den Basilisken. 8. Nürnberg hat man nach dem Kaiser Nero

benannt. 9. In Salzburg genoß er den Anblick der Seen und Berge. 10. Wien ist keine alte Stadt. 11. In Konstantinopel besuchte er den deutschen Kaiser. 12. Der Kaiser dachte, Mephostophiles wäre Mohammed. 13. Faust wohnte sechs Tage lang in dem Schloß des Kaisers. 14. Die Frauen konnten Deutsch. 15. Faust fuhr nach anderthalb Jahren nach Deutschland zurück.

XIV. *Doktor Faust und Kaiser Karl V.*

Fragen

1. Wer war nach Innsbruck gekommen? 2. Wen wollte Kaiser Karl V. sehen? 3. Darf Kaiser Karl V. viele Fragen stellen? 4. Wer erschien neben Alexander? 5. Waren Kaiser Karls Wünsche erfüllt?

XV. *Doktor Faust fährt in den Keller des Bischofs von Salzburg*

Setzen Sie a oder b!

1. Die Studenten ließen sich überreden, die feinen Weine zu versuchen.
   a. Sie wollten keine Weine trinken.
   b. Sie wollten gerne Weine trinken.
2. In dem Keller waren die herrlichsten Weine.
   a. Die Weine waren sehr gut.
   b. Die Weine waren ganz gut.
3. Der Kellermeister schrie: „Diebe!“
   a. Er wußte, daß sie stehlen.
   b. Er wollte mittrinken.
4. Faust setzte den Kellermeister auf einen hohen Baum.
   a. Faust hatte sich geärgert.
   b. Der Kellermeister hat Faust gebeten, ihn auf den Baum zu setzen.
5. Es kamen viele Menschen, die ihn befreiten.
   a. Es war nicht leicht, vom Baum herabzukommen.
   b. Es war nicht schwer, vom Baum herabzukommen.

XVI. *Fastnacht*

Richtig oder Falsch?

1. Faust setzte den Studenten erst kleine Portionen vor. 2. Faust hatte kleine leere Flaschen in den Garten gesetzt. 3. Die Speisen waren noch nicht warm. 4. Mittwoch lud Faust die Studenten wieder ein. 5. Nach dem Essen gingen sie zum Karneval.

XVII. *Von der verzauberten Helena am weißen Sonntag*

Ergänzen Sie die Sätze!

1. Die Studenten hatten ihr . . . selber mitgebracht. 2. Man sprach von . . . 3. Man meinte, die schönste Frau war . . . 4. Faust befahl den Studenten, kein Wort . . . 5. Die Studenten . . . Faust, Helena noch einmal erscheinen zu lassen.

XVIII. *Faust reitet auf einem Weinfaß*

Ergänzen Sie die Sätze!

1. Einige Studenten wollten die . . . Messe besuchen. 2. Mehrere Fuhrleute standen vor einem großen . . . 3. Wenn jemand das Faß allein aus dem Keller herausbringt, soll es ihm . . . 4. Der Besitzer hat es nicht für . . . gehalten.

XIX. *Faust liest Homer in Erfurt*

Fragen

1 Über wessen Werke las Faust in Erfurt? 2. Wen wollten die Studenten sehen? 3. Wer trat zuletzt in das Auditorium ein? 4. Lachte Faust oder weinte er? 5. Was tat Faust, damit Polyphemos wieder verschwindet?

XX. *Die verlorenen Komödien des Terenz und Plautus*

Fragen

1. Über welche Dichter sprachen die Professoren in Erfurt? 2. Was für Werke hatte Terenz geschrieben? 3. Wer wußte mehr über die Dichter? Faust oder die Professoren? 4. Warum hat Faust die verlorenen Werke nicht ans Licht gebracht? 5. Welche Werke der Dichter besitzt man heute?

XXI. *Faust und die Erfurter Gesellschaft*

Fragen

1. Was bohrte Faust in den Tisch? 2. Was kam aus den Löchern heraus? 3. Wie schnell waren die verschiedenen Diener? 4. Welchen Diener konnte Faust brauchen? 5. Wie lange blieb man zusammen?

XXII. *Ein Mönch will Faust bekehren*

Welcher Teil des Satzes ist richtig?

1. Kamen viele Leute, um Faust kennenzulernen, oder kamen wenige? 2. Kamen viele junge Leute zu Faust, oder kamen wenige junge Leute? 3. War Doktor Klinge Arzt, oder war er Mönch? 4. Kannte Doktor Klinge Martin Luther, oder kannte er ihn nicht? 5. Versteht Faust Doktor Klinge, oder versteht er ihn nicht? 6. Will Doktor Klinge keine Messe für Faust lesen, oder will er eine lesen? 7. Hat Faust sich vom Teufel abgewandt oder von Gott? 8. Mußte Faust in der Universitätsstadt bleiben, oder mußte er sie verlassen?

XXIII. *Ein alter Mann will Faust bekehren*

Welcher Teil des Satzes ist richtig?

1. War der Nachbar Fausts Arzt, oder war er Mönch? 2. Nahm sich der Nachbar vor, nicht mit Faust zu reden oder doch mit ihm zu reden? 3. Meinte der Nachbar, es ist zu spät oder nicht zu spät für Faust? 4. Erzählt der Nachbar Geschichten aus der Bibel, oder erzählt er Geschichten von seinen Freunden? 5. Wollte Faust keine Buße tun, oder wollte er doch Buße tun? 6. Bekehrte der Nachbar Faust, oder bekehrte er ihn nicht?

XXIV. *Doktor Faust verschreibt sich dem Teufel zum zweiten Mal*

Welcher Teil des Satzes ist richtig?

1. Ist es dreizehn Jahre, seit sich Faust verschrieben hat, oder ist es siebzehn Jahre? 2. Will Faust sich bekehren lassen, oder will er sich nicht bekehren lassen? 3. Unterschreibt er zum zweiten Mal, oder unterschreibt er nicht? 4. Kam der Teufel dem alten Mann bei, oder kam er ihm nicht bei? 5. Sagt Mephostophiles die Wahrheit über den alten Mann, oder sagt er nicht die Wahrheit?

XXV. *Von der griechischen Helena und Fausts Sohn*

Fragen

1. Wie viele Jahre ist es, seit Faust den Pakt geschlossen hat? 2. Wer fiel ihm um Mitternacht ein? 3. War Helena weniger schön als an dem weißen Sonntag? 4. Wie lange blieb Helena bei ihm? 5. Wie hieß sein Sohn?

XXVI. *Doktor Faust spricht mit seinem Diener über sein Testament*

Ergänzen Sie die Sätze!

1. Wagner war Fausts . . . 2. Früher war er ein . . . 3. Faust nannte ihn sogar seinen . . . 4. Faust vermachte Wagner . . . 5. Nach Fausts Tod soll Wagner Fausts Historie . . .

XXVII. *Doktor Fausts greuliches und schreckliches Ende und seine Rede an die Studenten*

Fragen über die Bedeutung der „Historia von D. Johann Fausten . . .".

1. Warum lädt er seine Freunde, die Studenten am letzten Tage seines Lebens ein? Warum will er mit ihnen zusammen sein? 2. Faust erzählt von dem Pakt und sagt: „Mein eigener Sinn stand danach." Wie? In welcher Form? 3. Was hat „die schlechte Gesellschaft" zu tun mit „mein Sinn stand danach"? 4. Er sagt, die Studenten sollen zu Bett gehen und sich keine Gedanken machen. Meint er es wohl wirklich? 5. Was bedeutet: „Denn ich sterbe als ein böser und guter Christ"? 6. Was hatte er eigentlich vom Dienst Mephostophiles gehabt, meinten die Studenten? Wissen? Genuß? Macht? Ansehen? 7. Wie spiegeln sich christliche Lehren und die Theologie des sechzehnten Jahrhunderts in dem Volksbuch? 8. Warum vergleicht sich Faust mit Kain? 9. Man nennt das Volksbuch eine Frühform des Romans. Wie vergleicht es sich mit späteren Romanen? 10. Welche späteren Gestaltungen des Fauststoffes kennen Sie? Wie unterscheiden sich spätere Gestaltungen—wenn Sie welche kennen—von dem Volksbuch?

Kapitel drei

Faust in der Literatur

Bis Goethe

Setzen Sie a oder b!

1. Die englische Übersetzung des Volksbuches ist . . . Übersetzung.

   a. eine freie

   b. eine sehr genaue

2. In England kam 1588/89 . . . heraus.

   a. ein Faust-Roman

   b. eine Faust-Ballade

3. Über das Leben Marlowes weiß man . . . als über das Leben Fausts.

   a. mehr

   b. nicht viel mehr

4. Faust und Marlowe starben . . . Todes.

   a. eines natürlichen

   b. eines unnatürlichen

5. Marlowes Tragödie unterscheidet sich . . . vom Volksbuch.

   a. in wesentlichen Punkten

   b. wenig

6. Das Volksbuch übersetzte man . . .

   a. nur ins Englische

   b. auch in andere Sprachen

7. In den Puppenspielen erscheint Mephistopheles . . .

   a. in verschiedenen Gestalten

   b. in der Gestalt eines Mönches

8. Der Faust der Puppenspiele begehrt zum Beispiel . . .

   a. Macht und Genuß

   b. Sympathie und Liebe

9. Gottsched meinte, aufgeklärte Menschen sähen die Faustspiele . . .

   a. nicht gerne

   b. gerne

10. Für Lessings Faust ist der schnellste Geist so schnell wie . . .
   a. die Gedanken der Menschen
   b. der Übergang vom Guten zum Bösen

11. Wesentlich war für Lessing das Motiv . . .
   a. der Macht und des Genusses
   b. des Wissensdurstes des Menschen

12. Der Wissensdurst war für Lessing der . . . der Triebe (*impulse*).
   a. edelste
   b. unbedeutendste

Goethes „Faust"

Fragen zur Interpretation

Lesen Sie den Text genau, sehr genau! Die Fragen beziehen sich (are based on) *allein* (solely) *auf den Goetheschen Text.*

I. *Prolog im Himmel*

A. Der Mensch und die Menschheit

1. Was sind die zwei verschiedenen Auffassungen des Menschen hier? 2. Was ist die Vernunft—nach Mephistopheles? Woher kommt sie? Wozu braucht der Mensch die Vernunft? 3. Wie gehören Irren und Streben zusammen? 4. Gibt es hier eine Definition des Guten? Oder ist „gut" etwas Relatives? Haben wir es hier mit einer unkonventionellen Auffassung zu tun? In welcher Weise kann ein Mensch „gut" sein? Wo kommen die Worte „gut" und „Mensch" im Text vor? 5. Was ist die Rolle der „unbedingten Ruh" (*complete repose*) und der Tätigkeit im Menschenleben? 6. Kann der Mensch auf Erden Vollkommenheit (*perfection*) erlangen?

B. Faust

1. Steht Fausts Sinn danach, sich mit dem Teufel und mit Teuflischem zu beschäftigen? 2. Ist er ein „Diener" Gottes? 3. Ist er ein „guter" Mensch? 4. Welche Bedeutung haben seine „zwei Seelen"? 5. Was ist

die Bedeutung der „schönsten Sterne" und der „höchsten Lust"? 6. Was ist die Bedeutung des grünenden Bäumchens? 7. Inwiefern (*to what extent*) verkörpert Faust den M e n s c h e n an sich (*as such*)? Wo kommt das Wort „Mensch" im Text vor? 8. Dient Faust dem Herrn aber auf besondere Weise? 9. Wird er allein, ohne Hilfe, Klarheit finden? 10. Kann man nach dem Lesen des Prologs etwas vom Ende des Dramas ahnen?

C. MEPHISTOPHELES

1. Mephistopheles ist frecher als der Teufel im Buch Hiob der Bibel. Geben Sie Beispiele! 2. Geben Sie Beispiele seines Humors! 3. Ist er ein dienender Geist, oder ist er selbständiger als der Geist des Volksbuches? 4. Glauben Sie ihm, wenn er sagt, daß er die armen Menschen nicht plagen (*torment*) mag? 5. Mephistopheles will Faust s a c h t (*gently*) seine Straße führen. Was dürfte das bedeuten? 6. Welche Rolle spielt Mephistopheles auf Erden? Zu welchem Zweck (*end*) erscheint er frei unter den Menschen?

II. *Nacht*

A. 1. Warum findet die Szene in der Nacht statt? 2. Warum steht das Wort „leider" vor „Theologie"? 3. Was für ein Doktor ist Faust? 4. Faust sagt, daß wir nichts wissen können. Interpretieren Sie das Wissen, von dem er spricht! 5. Ist Faust bei aller Verzweiflung selbstbewußt (*self-assured*)? 6. Glaubt Faust an Hölle und Teufel? 7. Was dürften die Skrupel und Zweifel sein, von denen er spricht? 8. Was für Magie meint Faust? Weiße? Schwarze? Weiße und schwarze? 9. Was soll ihm die Magie geben? 10. Was will er im Grunde wissen?

B. 1. Was ist das lebendige Kleid der Gottheit? 2. Wallt (*move*) der Geist wirklich auf und ab, oder i s t er Geburt und Grab und Meer und Weben und Leben? Dürfte man „in" als „in der Form von" interpretieren? 3. Welche Worte des Geistes—es sind viele—schildern Formen der Tätigkeit? 4. Versteht Faust den Geist? Umschweift (*traverse*) der Geist wirklich die Erde?

III. *Fausts Unterredungen mit Mephistopheles*

A. 1. Geben Sie Beispiele für Mephistopheles' Ironie! 2. Ist Faust weiter selbstbewußt (*self-assured*)? 3. In welcher Weise versucht Mephisto, Fausts Wissensdurst zu erregen? 4. Inwiefern ist er ein Geist, der verneint? 5. Welche Parallelen bestehen zwischen der Selbst-Schilderung Mephistos und der Schilderung von Mephistos Wesen im Prolog?

B. 1. Unter welchen Bedingungen hat das Leben überhaupt einen Sinn für Faust? 2. Wir lesen drei Formulierungen der Wette (*wager*), die Faust später ein Bündnis (*compact*) nennt. Was ist die zugrunde liegende (*underlying*) Bedeutung von allen drei? 3. Mephisto hatte von hier und drüben (*the beyond*) gesprochen. Ist davon bei Fausts Formulierungen die Rede? 4. Das Unterschreiben mit Blut gehört zur Faustsage. Ist es bei Goethe von Bedeutung? 5. Was will Faust von Mephisto, der „keiner von den Großen" ist? Wie steht es mit dem Wissensdurst? 6. Was will Faust in seinem „innern Selbst genießen" (*partake of*)? 7. Was versteht Mephisto unter dem „alten Sauerteig" (*sourdough*)?

IV. *Faust und Gretchen*

A. 1. Was sagt die Sternblume aus? 2. Wie formuliert Faust seine Frage an Gretchen? 3. Was ist für Faust „unaussprechlich" (*inexpressible*)? 4. Warum läuft Gretchen weg? 5. Was bedeutet es, wenn Faust einen Augenblick in Gedanken steht? 6. Was bedeutet es, wenn er ihr folgt?

B. 1. In einer Selbst-Schilderung steht das Wort „Unmensch" (*monster*). Warum nennt sich Faust so? 2. Aus welchen Worten ersieht man Fausts Fatalismus? 3. Was meint Faust, wenn er sagt, daß er die Felsen (*rocks*) zu Trümmern schlug (*smashed to pieces*)? 4. Was sieht Faust ein (*realizes*), wenn er sagt: „Was muß geschehn, mag's gleich geschehen"? 5. Inwiefern (*to what extent*) ist das Gretchen-Erlebnis ein neues Erlebnis für Faust?

Der Tragödie zweiter Teil

I. 1. Welche Pronomen (*pronouns*) gebraucht Faust am Anfang des zweiten Teils? 2. Sind die Hauptpersonen des ersten und des zweiten Teils dieselben? 3. Was ist die kleine Welt? 4. Was ist die große Welt? 5. Wie unterscheidet sich (*differs*) die Helena Goethes von der Helena des Volksbuches?

II. *Mitternacht*

1. Was versteht Faust unter (*means by*) „groß und mächtig"? 2. Was versteht Faust unter „weise"? 3. Was, meint Faust, weiß der Mensch über das Drüben (*beyond*)? 4. Meint Faust, daß es kein Drüben gibt? 5. Wie steht Faust nun zum Leben auf dieser Erde, einem Leben, das er einst (*at one time*) verflucht hatte? 6. Was ist die Bedeutung des Weiterschreitens (*advancing, going on*)? 7. Interpretieren Sie das Wort „unbefriedigt" (*unsatisfied*)!

III. *Großer Vorhof des Palasts*

1. Was ist Fausts letzter Plan? Was wäre das Höchsterrungene (*highest achievement*)? 2. Hat Faust den Weg zum Du gefunden? 3. Was ist der Zusammenhang (*connection*) zwischen der Auffassung des Bösen, wie es im Prolog zu lesen ist, und der Zukunftsvision Fausts? 4. Warum ist der Mensch stets von Gefahr umgeben (*surrounded*)? Warum soll es so sein? 5. Beschreiben Sie Fausts Auffassung der Unsterblichkeit (*immortality*)! 6. Warum nennt Mephistopheles den letzten Augenblick leer? 7. Warum ist „vorbei" (*past*) und „reines Nicht" ein und dasselbe für Mephistopheles? 8. Begreift er das Wesen Fausts? 9. War sich Faust in seinem dunklen Drange des rechten Weges wohl bewußt? 10. Was ist Ihre Ansicht (*view*) über das Gewinnen oder Verlieren der Wette?

IV. Gegen Ende des Jahres 1875 bekam Richard Wagner aus Amerika einen Brief, in dem man ihn bat, für die Hundertjahrfeier Amerikas ein Musikstück in Marschform zu schreiben. Er willigte ein und schrieb seinen „Centennial-Marsch". Als Motto setzte Wagner, der Jahre zuvor eine „Faust Ouvertüre" geschrieben hatte, die Worte aus Goethe's „Faust": „Nur der verdient sich Freiheit wie das Leben, der täglich sie erobern muß." Das Motto des „Centennial-Marsches" für Amerika deutet eine Interpretation von Fausts letzten Worten an (*suggests*). Was ist Ihre Ansicht über diese Interpretation Wagners?

V. *Bergschluchten*

1. Was für eine Rolle spielt Gretchen bei Fausts Erlösung? 2. Welche Rolle spielt Fausts Streben bei seiner Erlösung? 3. Was dürften die Worte des Chorus Mysticus bedeuten?

Nach Goethe

Ergänzen Sie die Sätze!

1. Eine bedeutende Quelle für Thomas Manns „Doktor Faustus" ist . . . 2. Die Ähnlichkeit zwischen Thomas Manns Roman und dem Volksbuch ist auffallend. Zum Beispiel, Manns Faust ist der Sohn eines . . ., er studiert . . ., er stammt aus der . . . Gegend, der Teufel dient ihm . . . Jahre lang, Faust erzählt seinen . . . am Ende von dem Teufelspakt, und er meint, seine . . . ist größer, als daß sie ihm könnte verziehen werden. 3. Die Ähnlichkeit mit dem Volksbuch ist auffallend, aber die Unterschiede sind auch . . . 4. In „D. Fausti Weheklag" verwendet der Tonsetzer Adrian Leverkühn

die . . . des zwanzigsten Jahrhunderts. 5. Das Generalthema der Weheklag ist in den zwölf Silben enthalten: . . . 6. Nach den Bedingungen des Paktes muß Leverkühns Leben . . . bleiben. 7. Die Teufelsfigur verspricht ihm . . . 8. Über die deutsche Sprache, sagt der Teufel: . . . 9. „D. Fausti Weheklag" ist Ausdruck der Trauer (*grief*), aber der letzte Laut, das hohe g eines Cello, steht . . . 10. Von der Möglichkeit der . . . ist also die Rede.

Schlußwort

Was sind die wesentlichen Momente des Fauststoffes?

Wörterverzeichnis

Articles, numerals, personal pronouns, possessive adjectives and pronouns, months of the year, and obvious cognates are not listed. Moreover, a number of words glossed in the margin and not occurring again in either the text or the exercises are not listed a second time. Since English translations of all selections from Goethe appear on facing pages, the words from the original text are not included in the end vocabulary. Many words of Goethe's *Faust* are glossed in the margin, however, to enable the student to understand the language of the original and to gain insight into the *Wortkunst* of the poet and into the art of translation. The verses from Genesis are glossed in the margin only.

A dash (–) indicates repetition of the noun. The genitive singular and nominative plural of masculine and neuter nouns are indicated, but only the nominative plural of feminine nouns. If masculines or neuters are followed by only one form, no plural exists, or the plural form is uncommon. If feminine nouns are followed by no form, no plural exists, or the plural form is uncommon.

The principal parts of irregular and strong verbs are given in full; no principal parts are given for weak verbs. Separable prefixes are hyphenated.

The adverbial meaning of an adjective is not given unless it differs from the adjectival meaning.

A

das **Abbild, -(e)s, -er** likeness, picture
der **Abend, -s, -e** evening, night; **zu Abend essen** eat supper; **das Abendessen, -s, -** supper
das **Abenteuer, -s, -** adventure
aber but, however
der **Aberglaube, -ns** superstition
ab-fallen, fiel ab, ist abgefallen, fällt ab turn away
der **Abgesandte, -n, -n** ambassador
ab-lesen, las ab, abgelesen, liest ab read (from), read (off)
ab-sagen renounce
zum **Abschied** before saying good-bye
ab-schreiben, schrieb ab, abgeschrieben copy
sich **ab-wenden, wandte ab, abgewandt** turn away
der **Adel, -s** nobility; **adlig** noble
der **Affe, -n, -n** ape, monkey
Ägypten Egypt
der **Ahne, -n, -n** ancestor
ahnen suspect, sense, have a presentiment of
ähnlich similar; **die Ähnlichkeit, -en** similarity
der **Akt, -(e)s, -e** act
die **Akten** (*pl.*) records
allein alone, by himself
allerlei all sorts of
alles all, everything
der **Almanach, -s, -e** almanac
als when, as; than; **als ob** as though
alt old
altertümlich ancient
an on, up, to, at
an-beten worship
ander other; **anders** different
anderthalb one and a half
der **Anfang, -(e)s, ⸚e** beginning; **an-fangen, fing an, angefangen, fängt an** begin, start
der **Anhänger, -s, -** disciple
an-kündigen announce
annehmen, nahm an, angenommen, nimmt an assume, accept
ansehen, sah an, angesehen, sieht an regard, look at
das **Ansehen, -s** prestige
an-sprechen, sprach an, angesprochen, spricht an talk to, address
antworten answer; **die Antwort, -en** answer; **zur Antwort geben** answer
sich **an-ziehen, zog an, angezogen** put on
arabisch Arabian
die **Arbeit, -en** work; **arbeiten** work
ärgern annoy, vex; **sich ärgern** be annoyed
arm poor
die **Art, -en** manner, way
die **Arznei, -en** medicine
der **Arzt, -es, ⸚e** doctor, physician
der **Astrologe, -n, -n** astrologer; **astrologisch** astrological
der **Astronom, -en, -en** astronomer
auch also, even; **auch nicht** not either
auf on, in, upon, to; up; **auf und ab** back and forth
auf-blühen flourish
auffallend striking
die **Auffassung, -en** conception, concept, idea
die **Augenblick, -(e)s, -e** moment
auf-halten, hielt auf, aufgehalten, hält auf stop; **läßt sich nicht aufhalten** cannot be stopped
auf-klären enlighten; **die Aufklärung** enlightenment
die **Auflage, -n** edition
sich **auf-stechen, stach auf, aufgestochen, sticht auf** puncture
auf-stehen, stand auf, ist aufgestanden get up
auf-tauchen appear
das **Auge, -s, -n** eye
der **Augenblick, -(e)s, -e** moment
aus out, out of, from
aus-arbeiten work out, elaborate
aus-brechen, brach aus, ist ausgebrochen, bricht aus break out
der **Ausdruck, -(e)s, ⸚e** expression
ausgezeichnet very much; excellent
aus-lachen laugh at
aus-laufen, lief aus, ist ausgelaufen, läuft aus run out
aus-sagen state, express
aus-sehen, sah aus, ausgesehen, sieht aus look, appear; **das Aussehen, -s** appearance
außerordentlich extraordinary

aus-sprechen, sprach aus, ausgesprochen, spricht aus utter, express
außerdem besides
aus-weisen, wies aus, ausgewiesen expel
der **Auszug, -(e)s, ⸚e** excerpt

B

bald soon; **bald . . . bald** now . . . then
der **Bart, -(e)s, ⸚e** beard
das **Basiliskenauge, -s, -n** basilisk's eye
der **Baum, -(e)s, ⸚e** tree
beantworten answer
beben tremble
bedenken, bedachte, bedacht consider
bedeuten mean; **bedeutend** significant, important; **die Bedeutung, -en** meaning, significance
die **Bedingung, -en** condition, stipulation
beeinflussen influence
beenden end
befehlen, befahl, befohlen, befiehlt order
befragen ask
befreien free, liberate
begehren desire, want; **das Begehren, -s, -** desire; **auf Euer Begehren hin** because of your desire
beginnen, begann, begonnen begin
begreifen, begriff, begriffen understand, grasp
behalten, behielt, behalten, behält keep
die **Behausung, -en** dwelling
bei with, at, on, at the house of, in the case of, during
beide both, two
bei-kommen, kam bei, ist beigekommen get at
beiseite aside
das **Beispiel, -(e)s, -e** example; **zum Beispiel** for example
bejahen affirm (value of)
bekannt well-known
bekehren convert; **sich bekehren** become converted
bekommen, bekam, bekommen get, receive
belügen lie (to)
benennen, benannte, benannt name
bereiten cause
bereuen regret
der **Berg, -(e)s, -e** mountain
die **Bergschlucht, -en** mountain gorge
der **Bericht, -(e)s, -e** report; **berichten** report, tell
berühmt famous
sich **beschäftigen** occupy oneself, deal with
bescheiden modest
beschreiben, beschrieb, beschrieben describe
beschützen protect
beschwören, beschwor, beschworen conjure, implore; **die Beschwörung, -en** incantation, conjuring
besichtigen view, inspect
besitzen, besaß, besessen have possess; **der Besitzer, -s, -** owner
besonder especial, special; **besonders** especially
bestehen, bestand, bestanden be, exist; **bestehen aus** consist of
bestialisch bestial, brutish; **die Bestie, -n** beast, brute
bestimmt definite
besuchen visit, attend
beten pray
betrübt depressed
betrügen, betrog, betrogen cheat
das **Bett, -(e)s, -en** bed
bevor before
bevor-stehen, stand bevor, bevorgestanden be imminent, be at hand
(sich) **bewegen** move
bewundern admire
bewußt aware, conscious
bezahlen pay
bezaubern bewitch, enchant
die **Bibel** bible
das **Bild, -(e)s, -er** picture, image; **sich ein Bild machen** get a picture, have a picture
(sich) **bilden** form
binden, band, gebunden tie, bind
der **Biograph, -en, -en** biographer
bis until, up to, as far as, to; **bis an** up to; **bis zu** to, up to
bisher up to now
die **Bitte, -n** request; **bitten, bat, gebeten** ask, request
das **Blatt, -(e)s, ⸚er** petal, leaf
blau blue
bleiben, blieb, ist geblieben remain, stay
der **Blick, -(e)s, -e** glance; **blicken** look
der **Blinde, -n, -n** blind man
der **Blitz, -es, -e** lightning; **blitzen** be lightning
blühen flourish, bloom
die **Blume, -n** flower
das **Blut, -(e)s** blood; **blutig** bloody, in blood
die **Blüte, -n** blossom, flower
der **Boden, -s** soil, floor, ground
bohren drill; **der Bohrer, -s, -** drill
böse evil, bad
braten, briet, gebraten, brät roast, grill
brauchen need, use

brechen, brach, gebrochen, bricht break
breit broad
der **Brief, -(e)s, -e** letter
bringen, brachte, gebracht bring, take; **zu Fall bringen** cause to fall
das **Brot, -(e)s, -e** bread
der **Bruder, -s, ¨** brother
das **Buch, -(e)s, ¨er** book
der **Bücherwurm, -(e)s, ¨er** bookworm
das **Bündnis, -ses, -se** pact, league; **ein Bündnis schließen** make a pact, ally oneself
der **Bürger, -s, -** citizen, burgher
die **Buße** penance

C

der **Chaldäer, -s, -** Chaldean; **chaldäisch** Chaldean
charakterisieren characterize
der **Christ, -en, -en** Christian; **christlich** Christian
die **Chronik, -en** chronicle

D

dabei at the same time, in so doing
da there, then; since
dafür in return
dagegen on the other hand
dahin to that place, there
damalig of that time; **damals** at that time
damit so that
der **Dämon, -s, -en** demon, spirit; **dämonisch** demonic
danken thank
dann then
darauf thereafter, thereupon
daraufhin then, thereupon
darum therefore
da-sein, war da, ist dagewesen, ist da be there
das **Dasein, -s** life, existence
davon-fahren, fuhr davon, ist davongefahren, fährt davon ride away
dauern last
denken, dachte, gedacht think; **denken an** think of
denn for, because
dennoch still, nevertheless
derselbe the same
deshalb therefore
deutsch German; **Deutschland, -s** Germany
dicht thick, dense
der **Dichter, -s, -** poet, writer
die **Dichtung, -en** poetic work, literature
dick fat, thick
der **Dieb, -(e)s, -e** thief
dienen serve; **der Diener, -s, -** servant; **der Dienst, -es, -e** service
der **Dienstag, -(e)s, -e** Tuesday
dies this; the latter
das **Ding, -(e)s, -e** thing, matter; **guter Dinge sein** be in high spirits
doch yet, but, however, anyway, after all
der **Dom, -(e)s, -e** cathedral
der **Donner, -s** thunder; **donnern** thunder
der **Donnerstag, -(e)s, -e** Thursday
die **Doppelnatur** dual nature
das **Dorf, -(e)s, ¨er** village
dort there
der **Drache, -n, -n** dragon
das **Drama, -s, Dramen** drama, play
der **Drang, -(e)s** impulse
draußen outside
drüben beyond
drucken print; **der Drucker, -s, -** printer
dumm stupid, dumb
dunkel dark, obscure
durch through, by, by means of
dürfen, durfte, gedurft, darf may, be permitted to
der **Durst, -es** thirst

E

ebenso just as
edel noble
egoistisch egoistic
die **Ehe, -n** marriage
eigen own
eigentlich actual, real
einander each other; one another
einfach simple
ein-fallen, fiel ein, ist eingefallen, fällt ein occur to; enter one's mind
der **Einfluß, -sses, ¨sse** influence
der **Eingangsmonolog, -s, -e** opening monologue
einige some, several
ein-kaufen buy, shop for
ein-laden, lud ein, eingeladen, lädt ein invite
einmal once, sometime; **auf einmal** suddenly; **nicht einmal** not even; **noch einmal** once more, again
ein-richten arrange
ein-schlafen, schlief ein, ist eingeschlafen, schläft ein fall asleep
ein-steigen, stieg ein, ist eingestiegen get in, climb in

ein-treten, trat ein, ist eingetreten, tritt ein enter
ein-willigen agree
einzeln individual
das **Eis, -es** ice
elend miserable, wretched
die **Eltern** parents
empfinden, empfand, empfunden feel
das **Ende, -s, -n** end
endlich finally
eng narrow, confined
der **Engel, -s, -** angel
entbehren do without, renounce
entbrennen (in Liebe) fall violently (in love)
entdecken discover; **die Entdeckung, -en** discovery
entfernt distant
entfliehen, entfloh, ist entflohen escape
entgehen, entging, ist entgangen escape
enthalten, enthielt, enthalten, enthält contain
entsprechen, entsprach, entsprochen, entspricht correspond, be in accord with
entspringen, entsprang, ist entsprungen originate in
entstehen, entstand, ist entstanden arise, originate, come into being
entweder . . . oder either . . . or
der **Erbe, -n, -n** heir
erblicken see
die **Erde** earth, ground
erdichtet fictional
erfahren, erfuhr, erfahren, erfährt find out, learn, experience; **die Erfahrung, -en** experience
erfüllen fulfill; **in Erfüllung gehen** come true
ergänzen complete
erhalten, erhielt, erhalten, erhält get, receive, preserve
sich **erheben, erhob, erhoben** rise, rebel
erkennen, erkannte, erkannt recognize
erklären explain, declare
erlangen attain
erlauben permit, allow
erleben experience; **das Erlebnis, -ses, -se** experience
die **Erlösung** redemption
ernst serious
erobern win (by effort)
erregen excite
erreichen reach, attain
erschaffen, erschuf, erschaffen create
erscheinen, erschien, erschienen appear; **die Erscheinung, -en** vision, appearance
erschrecken, erschrak, ist erschrocken, erschrickt be frightened, be startled
erschüttern shake violently
ersehen, ersah, ersehen, ersieht note, see; **nicht zu ersehen** not clear
erst first; not until; only
ertönen sound, be heard
erwachen awaken, wake up
erwecken awaken
erwidern answer, reply
erzählen tell; **der Erzähler, -s, -** narrator; **die Erzählung, -en** story, tale
der **Erzbischof, -s, ⸚e** archbishop
der **Erzengel, -s, -** archangel
essen, aß, gegessen, ißt eat; **das Essen, -s, -** meal
etliche a number of
etwas something, somewhat
etymologisch etymological
ewig eternal; **die Ewigkeit** eternity

F

fahren, fuhr, ist gefahren, fährt go, ride, travel; **die Fahrt, -en** trip
der **Fall, -(e)s, ⸚e** case, fall; **fallen, fiel, ist gefallen, fällt** fall, be mentioned
falsch false, wrong
die **Familie, -n** family
der **Famulus, -, -lusse & -li** assistant
das **Faß, -sses, ⸚sser** barrel, vat
fast almost
die **Fastnacht** carnival, Shrove Tuesday
das **Faulbett, -(e)s** lap of idleness
feiern celebrate; **die Feier, -n** celebration
feind enemy of; **der Feind, -(e)s, -e** enemy
das **Fenster, -s, -** window
fern far; **von fern** from afar
fest firm, fast, solid
das **Feuer, -s, -** fire; **feurig** fiery
die **Figur, -en** figure, character
finden, fand, gefunden find
finster dark; **die Finsternis** darkness
der **Fisch, -es, -e** fish
die **Flamme, -n** flame
die **Flasche, -n** bottle
flattern flutter
das **Fleisch, -es** flesh
der **Fleiß, -es** industry; **fleißig** diligent
fliegen, flog, ist geflogen fly
fliehen, floh, ist geflohen flee
fließen, floß, ist geflossen flow
flüchten flee
das **Flügelpferd, -(e)s, -e** winged horse

die **Flut, -en** flood
folgen follow
fordern summon; **vor sich fordern** summon before . . .; **die Forderung, -en** demand, summons
die **Formel, -n** formula
formulieren formulate, express; **die Formulierung** formulation, wording
fort gone
die **Frage, -n** question; **eine Frage stellen** ask a question; **fragen** ask; **fragen nach** ask for
der **Franziskaner, -s, -** Franciscan
französisch French
die **Frau, -en** woman; wife
frech fresh, impudent, impertinent; **die Frechheit** impudence
frei free, candid; **die Freiheit** freedom
fremd foreign
die **Freude** joy, delight
sich **freuen** be glad, rejoice
der **Freund, -(e)s, -e** friend; **freundlich** friendly, cordial
frisch fresh, new
fromm godly, pious
die **Frucht, ¨e** fruit; **fruchtbar** fruitful, fertile
früh early; **früher** formerly
fühlen feel
führen lead
die **Fuhrleute** wagon drivers
füllen fill
die **Furcht vor** fear of; **fürchten** fear
der **Fürst, -en, -en** prince; **fürstlich** princely
der **Fuß, -es, ¨e** foot

G

ganz all of, entire, quite
gar at all
der **Garten, -s, ¨** garden
der **Gast, -(e)s, ¨e** guest; **zu Gast sein** be a guest
das **Gaukelspiel, -(e)s, -e** (magic) trickery
Gebackenes baked goods
geballt clenched
geben, gab, gegeben, gibt give; **es gibt** there is, there are
geboren born
gebraten roast
gebrauchen use
die **Geburt, -en** birth
der **Gedanke, -ns, -n** thought, idea; **sich Gedanken machen** be concerned
die **Gefahr, -en** danger; **gefährlich** dangerous
gefallen, gefiel, gefallen, gefällt please
das **Gefängnis, -ses, -se** prison
gefroren frozen
das **Gefilde, -(e)s, -** sphere
das **Gefühl, -s, -e** feeling
gegen against, toward, around
der **Gegensatz, -es, ¨e** contrast
das **Gegenstück, -(e)s, -e** counterpart, antithesis
die **Gegenwart** presence, present
gehen, ging, ist gegangen go, walk; **es ging ihm wie** he had the same experience as
Gehör schenken give a hearing to, lend an ear
gehorchen obey
gehören belong
gehorsam obedient
der **Geist, -es, -er** spirit, intellect, mind
das **Geld, -(e)s, -er** money
gelehrt learned
das **Gemach, -(e)s, ¨er** apartment
die **Gemahlin, -nen** spouse, wife
das **Gemälde, -** painting
gemeinsam together
genau exact, precise
genießen, genoß, genossen enjoy, experience
genug enough
der **Genuß, -sses, ¨sse** pleasure
gerade just
gern(e) gladly; like to
der **Gesang, -(e)s, ¨e** singing
das **Geschäft, -(e)s, -e** business, shop; **gute Geschäfte machen** do good business
geschehen, geschah, ist geschehen, geschieht happen, be done
das **Geschenk, -(e)s, -e** present
die **Geschicklichkeit** skill, dexterity; **geschickt** adept, skillful
die **Gesellschaft, -en** company, party, society; **in schlechte Gesellschaft geraten** get into bad company
das **Gesicht, -(e)s, -er** face
das **Gespenst, -es, -er** ghost
das **Gespräch, -(e)s, -e** conversation
die **Gestalt, -en** figure, form
die **Gestaltung, -en** giving form to, version
gesund healthy, sound
das **Getränk, -(e)s, -e** drink
das **Gewand, -(e)s, ¨er** guise, dress, gown
gewärtig sein expect
gewinnen, gewann, gewonnen win, gain, assume
gewiß certain, sure; **die Gewißheit** certainty
gewöhnlich usual
das **Glas, -es, ¨er** glass

der **Glaube, -ns, -n** belief, faith; **glauben** believe, have faith; **glauben an** believe in
gleich same, like, equal; **zu gleicher Zeit** at the same time; **gleichzeitig** at the same time
gleichen, glich, geglichen be like, resemble
gleich-setzen equate
die **Glosse, -n** gloss
das **Glück, -(e)s** happiness, luck, good fortune; **glücklich** happy, lucky, fortunate
die **Gnade** mercy, grace
der **Gott, -es, ¨er** God, god; **die Gottheit** deity; **göttlich** divine; **gottlos** godless
gottesfürchtig God-fearing
das **Grab, -(e)s, ¨er** grave
der **Graf, -en, -en** count
das **Gras, -es** grass
grau grey
der **Greuel, -s, -** horror; **greulich** horrible
Griechenland, -s Greece; **griechisch** Greek
groß large, big, great
der **Grund, -(e)s, ¨e** bottom, ground, reason; **im Grunde** fundamentally
gründen found; **die Gründung, -en** founding
grüßen greet, give regards
gut good
das **Gut, -(e)s** matter, material things

H

das **Haar, -(e)s, -e** hair
halb half
die **Hälfte, -n** half
der **Hals, -es, ¨e** neck
halten, hielt, gehalten, hält give, hold, stop, keep; **halten für** consider
die **Hand, ¨e** hand; **die Handschrift, -en** handwriting
der **Handel, -s** trade, commerce
der **Hang, -(e)s** inclination
hängen, hing, gehangen hang
harmlos harmless
hart hard, harsh
häufig frequent
das **Haupt, -(e)s, ¨er** chief, head; **Haupt-** main
die **Hauptstadt, ¨e** capital
das **Haus, -es, ¨er** house; **zu Hause** at home; **nach Hause** home
heben, hob, gehoben lift, pick up
das **Heer, -(e)s, -e** host; army
heftig violent
heilen heal, cure
heilig holy
heiraten get married
heiß hot
heißen, hieß, geheißen be called, be said
der **Held, -en, -en** hero
helfen, half, geholfen, hilft help
hell bright, light
das **Hemd, -(e)s, -en** shirt
her here, hither
herab down
heraus out (of)
der **Herausgeber, -s, -** publisher, editor
herbei over, by, past
herbei-schaffen bring (here)
herein in
her-kommen, kam her, ist hergekommen come from
der **Herr, -n, -en** gentleman, man, master, sir, lord, God
herrlich magnificent, marvelous
herrschen reign, rule; **die Herrschaft, -en** rule; **der Herrscher, -s, -** ruler
her-stellen produce
herum around
herunter down
hervor-rufen, rief hervor, hervorgerufen evoke, call forth
das **Herz, -ens, -en** heart; **herzlich** cordial, very much, deeply; **herzlos** heartless
heute today; **heutig** present
die **Hexe, -n** witch; **die Hexenküche** witches' kitchen; **der Hexensabbat** witches' Sabbath; **der Hexenhammer** witches' hammer
hiermit herewith
hierzu hereto, for this
die **Hilfe** help; **zu Hilfe**! Help!
der **Himmel, -s, -** heaven, sky; **himmlisch** heavenly, of heaven, divine
hin there; **hin ist hin** what is gone is gone
hinab down
hinaus-schauen look out
sich **hin-geben, gab hin, hingegeben, gibt hin** give oneself (to)
hin-kommen, kam hin, ist hingekommen come
sich **hin-setzen** sit down
das **Hinscheiden, -s** death, demise
hinter behind
hinunter down
Hiob Job
die **Historia, Historie** history, story; **der Historiker, -s, -** historian; **historisch** historic, historical
hoch high; **höchst** extremely
der **Hochmut** arrogance; **hochmütig** arrogant

der **Hof, -(e)s, ⸚e** court; **der Hofadel, -s** nobility of the court
hoffen hope; **die Hoffnung, -en** hope; **die Hoffnungslosigkeit** hopelessness
die **Höhe** height; **aus der Höhe** from above; **in die Höhe** upward
holdselig exquisite
holen come for, take, get
holländisch Dutch
die **Hölle** hell; **höllisch** hellish, of hell
hören hear, listen
Horoskope stellen cast horoscopes
der **Hund, -(e)s, -e** dog

I

die **Ideologie** ideology, body of ideas
immer always, ever; **immer noch nicht** not yet
interessant interesting; **interessieren** interest
indessen meanwhile
inner inner, inward; **das Innere** inner self, heart; **innerst** innermost
interpretieren interpret
inwiefern to what extent
irdisch earthly
irgendein any, some
ironisch ironic, ironical
irren err, make mistakes

J

ja yes, indeed, really
das **Jahr, -(e)s, -e** year
das **Jahrhundert, -s, -e** century
das **Jahrzehnt, -s, -e** decade
je ever
jeder every, any; everyone
jedoch however
jemand someone, anyone
jener that
jetzt now
die **Jugend** youth, young people
jung young
das **Jüngste Gericht** Last Judgment
juristisch legal
das **Juwel, -s, -en** jewel

K

der **Kaiser, -s, -** kaiser, emperor; **kaiserlich** imperial
der **Kalender, -s, -** calendar
kalt cold; **die Kälte** coldness, frigidity
der **Kampf, -(e)s, ⸚e** struggle, fight
die **Kantate, -n** cantata, choral composition
das **Kapitel, -s, -** chapter
die **Katze, -n** cat
kaum scarcely
kein no, not any
der **Keller, -s, -** cellar; **der Kellermeister, -s, -** wine steward
kennen, kannte, gekannt know, be acquainted with
kennen-lernen meet, become acquainted with
der **Kerker, -s, -** dungeon
der **Kessel, -s, -** kettle, boiler
das **Kind, -(e)s, -er** child; **kinderlos** childless
die **Kirche, -n** church
die **Klage, -, -n** complaint, lament; **klagen** complain, lament
klar clear; **die Klarheit** clarity
die **Klasse, -n** class
(sich) **kleiden** dress; **das Kleid, -(e)s, -er** dress, clothes; **die Kleidung** dress, clothes
klopfen tap, knock
das **Kloster, -s, -** monastery, cloister
klug clever, intelligent; **die Klugheit** cleverness, intelligence
der **Knecht, -(e)s, -e** servant
das **Knie, -s, -** knee
der **Koch, -(e)s, ⸚e** cook; **kochen** cook
Köln Cologne
kommen, kam, ist gekommen come; **zu Fall kommen** come to fall from grace
die **Komödie, -n** comedy
der **König, -s, -e** king; **die Königin, -nen** queen; **der Königsstuhl, -(e)s, ⸚e** royal chair, throne
können, konnte, gekonnt, kann can, be able to, can do, know
der **Kopf, -es, ⸚e** head; **ein heller Kopf** bright fellow
die **Kopie, -n** copy
der **Körper, -s, -** body
köstlich delicious
die **Kraft, ⸚e** force; strength, energy
krank sick, ill; **die Krankheit, -en** illness, sickness; **das Kranksein** being sick
der **Kreis, -es, -e** circle
der **Kreuzweg, -(e)s, -e** crossroad
der **Krieg, -(e)s, -e** war
die **Krise, -n** crisis
kritisch critical
der **Kummer, -s** grief, worry
die **Kunst, ⸚e** art, skill
der **Kurfürst, -en, -en** Elector
kurz short, brief

L

lachen laugh
das **Land, -(e)s, ¨er** state, country
der **Landstreicher, -s, -** tramp, vagabond
lang(e) long, a long time; **auf lange** for a long time; **länger** rather long
langsam slow
längst long ago, long since
sich **langweilen** be bored
der **Lärm, -(e)s** noise
lassen, ließ, gelassen, läßt let, let have, leave; **sich lassen** can
lateinisch Latin
der **Lauf, -(e)s** course
laufen, lief, ist gelaufen, läuft run, walk
der **Laut, -(e)s, -e** sound; **laut** loud; **lauten** be, read, sound
lauter only, nothing but
leben live; **das Leben, -s, -** life; **das Lebenswerk, -(e)s** life work; **lebendig** living
zu **Lebzeiten** during the life
leer empty
legen lay, put
die **Lehre, -n** teaching, doctrine; **lehren** teach; **der Lehrer, -s, -** teacher
der **Leib, -(e)s, -er** body
leibhaftig true, incarnate
leicht easy, light
leichtfertig frivolous
das **Leid, -(e)s** sorrow, suffering; **leid: er tat ihnen leid** they felt sorry for him
leiden, litt, gelitten suffer
leider unfortunately
lernen learn
lesen, las, gelesen, liest read, lecture
letzt last
die **Leute** people
das **Licht, -(e)s, -er** light; **ans Licht bringen** bring to light
lieb dear, wonderful
die **Liebe** love; **lieben** love
lieblich lovely
liegen, lag, gelegen lie, be situated
die **Linke** left
die **Lippe, -n** lip
literarisch literary
das **Lob, -(e)s** praise; **loben** praise
das **Loch, -(e)s, ¨er** hole
die **Luft, ¨e** air
lügen, log, gelogen lie; **die Lüge, -n** lie
die **Lust** joy, pleasure; **Lust haben** be in a mood
der **Luxus, -** luxury

M

machen make, do; **ein Ende machen** put an end to
die **Macht, ¨e** power, might; **mächtig** mighty, huge, intense
die **Magie** magic; **der Magier, -s, -** magician
der **Magister, -s, -** Master
die **Majestät, -en** majesty
das **Mal, -(e)s, -e** time; **-mal** time(s)
malen paint; **der Maler, -s, -** painter
manch many a; **manche** some
der **Mann, -(e)s, ¨er** man
der **Mantel, -s, ¨** coat, cloak
das **Märchen, -s, -** fairy tale
der **Marsch, -es, ¨e** march
maskiert masked, disguised
die **Masse, -n** mass
der **Mathematiker, -s, -** mathematician
das **Meer, -(e)s, -e** sea
mehr more; **nicht mehr** no longer
mehrere several
die **Meile, -n** mile
meinen mean, think, say
meist most; generally
der **Meister, -s, -** master
der **Mensch, -en, -en** man, human being; **die Menschheit** mankind, humanity
die **Messe, -n** fair; mass
das **Messer, -s, -** knife
die **Milch** milk
mit with, along
der **Mittag, -(e)s, -e** midday, noon, south
die **Mitte** middle; **mitten in** in the middle of, right in
das **Mittelalter, -s** Middle Ages
der **Mittelpunkt, -(e)s, -e** center
die **Mitternacht** midnight, North
mit-trinken, trank mit, mitgetrunken join in drinking
der **Mittwoch, -s** Wednesday
mögen, mochte, gemocht, mag like, may
möglich possible; **die Möglichkeit, -en** possibility
das **Moment, -(e)s, -e** motive, element
der **Monat, -(e)s, -e** month
der **Mönch, -(e)s, -e** monk
der **Mond, -(e)s** moon
moralisieren moralize
der **Mörder, -s, -** murderer
morgen tomorrow
der **Morgen, -s, -** morning
Mose: das Erste Buch Mose Genesis
das **Motiv, -s, -e** motive, theme, subject

der **Mund, -(e)s, ⸚er** mouth
musikalisch musical; **der Musiker, -s, -** musician, composer
müssen, mußte, gemußt, muß must, have to
die **Mutter, ⸚** mother
mysteriös mysterious
die **Mystik** mysticism; **mystisch** mystic, mystical
mythisch mythical

N

nach after, to, toward, according to
der **Nachbar, -s & -n, -n** neighbor
nachdem after
nach-denken, dachte nach, nachgedacht think about
nacheinander one after another
nachher afterward
der **Nachkomme, -n, -n** descendant
die **Nachricht, -en** news, information
nach-sagen say of
nächst next, nearest
die **Nacht, ⸚e** night; **nachts** at night
der **Nacken, -s, -** neck
der **Name, -ns, -n** name
nämlich namely, you see, as a matter of fact
der **Narr, -en, -en** fool
die **Nativität** nativity, birth
die **Naturkraft, ⸚e** force of nature
natürlich natural
Neapel Naples
der **Nebel, -s** fog; **nebelhaft** foggy, nebulous; **die Nebelwolke, -n** cloud of fog
neben next to, beside
nehmen, nahm, genommen, nimmt take
(sich) **nennen, nannte, genannt** call (oneself)
neu new; **von neuem** again, anew
die **Neurose, -n** neurosis
nicht not, non-
nichts nothing, not anything
nie, niemals never
niemand no one
noch still, ever, yet; **noch einmal** once more; **noch nicht** not yet
nur only

O

ob whether, if
oben above; **nach oben** upward
obgleich although
obwohl although
öffentlich public
öffnen open
oft often
ohne without
der **Onkel, -s, -** uncle
die **Oper, -n** opera
die **Ordnung** order, arrangement
der **Ort, -(e)s, -e** place
Österreich, -s Austria

P

der **Pakt, -(e)s, -e** pact
der **Palast, -es, ⸚e** palace
der **Papst, -es ⸚e** pope
das **Paradies, -es** paradise
die **Perle, -n** pearl
die **Person, -en** person, character; **personifizieren** personify; die **Persönlichkeit, -en** personality
das **Pferd, - (e)s, -e** horse
der **Pfropfen, -s, -** stopper
die **Phantasie** imagination
der **Philosoph, -en, -en** philosopher
plagen torment
poetisch poetic
der **Pol, -(e)s, -e** pole
politisch political
prahlen boast; **der Prahler, -s, -** boaster; **die Prahlerei** boasting
der **Priester, -s, -** priest
produzieren produce
der **Professor, -s, -en** professor
prophezeien prophesy, predict; **die Prophezeiung, -en** prophecy
die **Prosa** prose
die **Prüfung, -en** examination
der **Punkt, -(e)s, -e** dot, point
das **Puppenspiel, -(e)s, -e** puppet show, puppet play

Q

die **Qual, -en** agony, torment; **quälen** torment
die **Quelle, -n** source, fountainhead

R

der **Rand, -(e)s, ⸚er** edge
der **Rat, -(e)s, ⸚e** council; **raten, riet, geraten, rät** advise
der **Raum, -(e)s, ⸚e** room
recht right, real, quite, very; **recht haben** be right
das **Recht, -(e)s, -e** right

die **Rede, -n** talk; **reden** talk, speak; **der Redner, -s, -** speaker, talker
redlich honest
die **Regel, -n** rule
regieren govern, rule, reign; **die Regierung, -en** government
reich rich; **der Reichtum, -s, ¨er** wealth, riches
das **Reich, -(e)s, -e** realm, empire
rein pure
die **Reise, -n** trip; **reisen** travel
reiten, ritt, ist geritten ride (horses)
reizen stimulate, stir up
der **Rektor, -s, -en** head of a German university
der **Repräsentant, -en, -en** representative
retten save, redeem; **die Rettung** redemption, salvation
reuig penitent
das **Rezept, -(e)s, -e** prescription
sich **richten nach** be guided by
richtig right, correct, real
der **Riese, -n, -n** giant
der **Ritter, -s, -** knight
die **Rolle, -n** role
der **Roman, -s, -e** novel
die **Romantik** romanticism; **romantisch** romantic
die **Rose, -n** rose
rot red
rufen, rief, gerufen call, say
die **Ruh(e)** rest, peace, repose; **ruhig** quiet, calm
der **Ruhm, -(e)s** fame, glory
rund round

S

der **Saal, -(e)s, Säle** hall
die **Sache, -n** matter, affair
der **Sack, -(e)s, ¨e** sack, bag
die **Sage, -n** legend, saga; **sagenhaft** legendary
sagen say
der **Satz, -es, ¨e** sentence
schaden do harm to, harm; **der Schaden, -s ¨** harm, injury; **schädlich** harmful
schaffen, schuf, geschaffen create, produce, get
schalten und walten do as one likes
sich **schämen** be ashamed
der **Scharlatan, -s, -e** charlatan, fraud
der **Schauplatz, -es, ¨e** setting
scheinen, schien, geschienen seem; shine
schenken give, present
schicken send
das **Schicksal, -s, -e** fate, destiny
das **Schiff, -(e)s, -e** ship, boat
schildern describe, portray; **die Schilderung, -en** description, portrayal
schlafen, schlief, geschlafen, schläft sleep
der **Schlaftrunk, -(e)s** nightcap
das **Schlafzimmer, -s, -** bedroom
die **Schlange, -n** snake, serpent
schlank slender
schlecht bad, wicked; **die Schlechtigkeit** wickedness
schließen, schloß, geschlossen close, conclude; **einen Pakt schließen** make a pact
schließlich finally
das **Schloß, -sses, ¨sser** castle
der **Schluß, -sses, ¨sse** end, conclusion; **zum Schluß** in conclusion
der **Schlüssel, -s, -** key; **das Schlüsselloch, -(e)s, ¨er** keyhole
schmecken taste, taste good
der **Schnee, -s** snow
schnell fast, rapid; **die Schnelligkeit** speed
schon already, all right
schön beautiful, nice, fine; **die Schönheit** beauty
der **Schöpfer, -s, -** creator; **schöpferisch** creative; **die Schöpfung** creation
schrecklich terrible, frightful
schreiben, schrieb, geschrieben write; **sich schreiben** spell one's name
schreien, schrie, geschrien cry; **schreien um** cry for
die **Schrift, -en** writing, scripture; **schriftlich** in writing
der **Schriftsteller, -s, -** writer
schuldig sein be obliged
die **Schule, -n** school
der **Schüler, -s, -** student
der **Schuß, -sses, ¨sse** shot
der **Schwager, -s, -** brother-in-law, crony
der **Schwan, -(e)s, ¨e** swan
schwarz black
die **Schwarzkunst** black art, magic; **der Schwarzkünstler, -s, -** magician
schweben float, hover
schweigen, schwieg, geschwiegen be silent; **das Schweigen, -s** silence
das **Schwein, -(e)s, -e** pig
schwer hard, difficult, heavy; **schwer fallen** be difficult
schwermütig melancholy
das **Schwert, -(e)s, -er** sword
die **Schwester, -n** sister

der **Schwindler, -s, -** swindler
der **See, -s, -n** lake; der **Seefahrer, -s, -** seafarer
die **Seele, -n** soul
sehen, sah, gesehen, sieht see
sehr very, very much
sein, war, ist gewesen, ist be
seit since
die **Seite, -n** side, page
selber, selbst -self
selbständig independent
selten rare; seldom
seltsam unusual, strange
senden, sandte, gesandt send
setzen set, put, substitute; **sich setzen** sit down
sicher sure, certain
der **Sieg, -(e)s, -e** victory
das **Silber, -s** silver
singen, sang, gesungen sing
der **Sinn, -(e)s, -e** mind, meaning, sense; **sinnlich** sensual, sensory; **der Sinn steht danach** one hankers after
sitzen, saß, gesessen sit
sobald as soon as
sodann then
sofort immediately
sogar even
sogenannt so-called
sogleich immediately
der **Sohn, -(e)s, ¨e** son
solange as long as
solch such
sollen, sollte, gesollt, soll should, be supposed to, ought to, be to
der **Sommer, -s, -** summer
sondern but
die **Sonne, -n** sun; **sonnig** sunny
sonst otherwise
der **Sonntag, -(e)s, -e** Sunday
sowie as well as
die **Spanne** span
spät late
der **Spaziergang, -(e)s, ¨e** walk
die **Speise, -n** food, dish
spekulieren speculate, meditate
die **Sphäre, -n** sphere, area
sich **spiegeln** be reflected
das **Spiel, -(e)s, -e** play, game; **die Hand im Spiel haben** be involved; **spielen** play
der **Spieß, -es, -e** spear
der **Spott, -(e)s** ridicule; **spotten** jeer at, ridicule
die **Sprache, -n** language; **zur Sprache bringen** broach, speak of
sprechen, sprach, gesprochen, spricht speak, talk
das **Sprichwort, -(e)s, ¨er** saying, proverb
springen, sprang, ist gesprungen spring, jump
spukhaft ghostly, spooky
spüren notice, see, feel
die **Stadt, ¨e** city
stammen be, be derived, come
stark strong, violent
statt-finden, fand statt, stattgefunden take place
stecken put, stick
stehen, stand, gestanden, stand be, be written; **wie steht es mit** how about
stehlen, stahl, gestohlen, stiehlt steal
steigen, stieg, ist gestiegen climb
der **Stein, -(e)s, -e** stone
stellen place, cast, put
sterben, starb, ist gestorben, stirbt die
der **Stern, -(e)s, -e** star; **die Sternblume, -n** starflower; **der Sterndeuter, -s, -** astrologer
stets always
der **Stier, -(e)s, -e** bull
die **Stimme, -n** voice
stimmen be correct
die **Stirn, -e** forehead
der **Stoff, -(e)s, -e** theme, subject
stoßen, stieß, gestoßen, stößt knock, strike
die **Strafe, -n** punishment
die **Straße, -n** street
streben strive
streng strict
der **Strom, -(e)s, ¨e** stream
die **Stube, -n** room
das **Stück, -(e)s, -e** piece, play
studieren study; **das Studierzimmer, -s, -** study; **das Studium, -s, Studien** study
die **Stunde, -n** hour; **das Stundenglas, -es, ¨er** hourglass
der **Sturmwind, -(e)s** violent wind
suchen seek, look for, try
Süd south
die **Sünde, -n** sin; **der Sünder, -s, -** sinner
die **Szene, -n** scene

T

der **Tag, -(e)s, -e** day; **tagelang** for days; **täglich** daily; **es wird Tag** day is breaking
der **Tannenbaum, -(e)s, ¨e** fir tree
der **Tanz, -es, ¨e** dance; **tanzen** dance

die **Tat, -en** action, deed; **in der Tat** indeed; **tätig** active; **die Tätigkeit** activity
die **Tatsache, -n** fact; **tatsächlich** actual, factual
der **Teil, -(e)s, -e** part; **teilen** divide, separate
teuer zu stehen kommen be expensive
der **Teufel, -s, -** devil; **das Teufelskind, -(e)s, -er** depraved sinner; **das Teufelsliebchen, -s, -** diabolical ladylove; **das Teufelswerk, -(e)s** devilry; **teuflisch** diabolical
das **Thema, -s, Themen** theme, subject
der **Theologe, -n, -n** theologian
die **These, -n** thesis
der **Thron, -(e)s, -e** throne
tief deep, low; **die Tiefe** depth
der **Tiegel, -s, -** crucible
das **Tier, -(e)s, -e** animal; **tierisch** brutish, bestial
der **Tisch, -es, -e** table
die **Tischplatte, -n** tabletop
der **Tod, -(e)s** death; **tot** dead; **töten** kill
der **Ton, -(e)s, ⸚e** tone
der **Tonsetzer, -s, -** composer
traditionell traditional
tragen, trug, getragen, trägt wear, bear, carry
die **Tragödie, -n** tragedy
träumen dream
traurig sad; **die Traurigkeit** sadness
treffen, traf, getroffen, trifft meet
treiben, trieb, getrieben drive, impel, do
treten, trat, ist getreten, tritt step; **treten in** enter
trinken, trank, getrunken drink; **der Trank, -(e)s, ⸚e** drink, potion; **der Trunk, -(e)s** drink; **einen Trunk tun** have a drink
trocken dry
trösten console, comfort
trotz in spite of
tun, tat, getan do; **tun als ob** act as though
die **Tür, -en** door

U

über about, over, concerning
überall everywhere
der **Übergang, -(e)s, ⸚e** transition
übergeben, übergab, übergeben, übergibt give up (to)
überhaupt at all, in general
über-gehen, ging über, ist übergegangen pass over, go over
überlassen, überließ, überlassen, überläßt let have, leave
übernehmen, übernahm, übernommen, übernimmt take over
überreden persuade; **die Überredung** persuasion
übersetzen translate; **die Übersetzung, -en** translation
übersinnlich spiritual, supersensual
überzeugen convince; **sich überzeugen** see for oneself
üblich usual, customary
im **übrigen** for the rest
die **Uhr, -en** watch, clock, o'clock
um around, about, at; **um . . . zu** in order to
umgedreht twisted around
sich **um-sehen, sah um, umgesehen, sieht um** look around
unbekannt unknown
unaussprechlich unspeakable, inexpressible, ineffable
unbedeutend insignificant
unbeherrscht independent, unchecked; **den Unbeherrschten reitet der Teufel** the devil has gotten into
unerfahren inexperienced
unermeßlich immeasurable
Ungarn Hungary; **ungarisch** Hungarian
ungefähr about, approximate
ungeheuer enormous
ungenau inexact
ungewiß uncertain
unglücklich unhappy
die **Ungnade** disfavor, displeasure
unheimlich uncanny, weird
die **Universität, -en** university
unklar hazy
der **Unmensch, -en, -en** monster
unmöglich impossible
unnatürlich unnatural, violent
unsichtbar invisible
unsinnig foolish
unter under, among; **unter anderem** among other things
unter-gehen, ging unter, ist untergegangen go down, set; perish
die **Unterhaltung, -en** entertainment, conversation; **(sich) unterhalten, unterhielt, unterhalten, unterhält** entertain, converse
die **Unterredung, -en** discussion, conversation
(sich) **unterscheiden, unterschied, unterschieden** distinguish, differ
der **Unterschied, -(e)s, -e** difference
unterschreiben, unterschrieb, unterschrieben sign; **die Unterschrift, -en** signature
untertan obedient, subject to

der **Untertitel, -s, -** subtitle
unwissend ignorant
uralt ancient, very old
die **Urkunde, -n** document
der **Ursprung, -s, ¨e** origin; **ursprünglich** original

V

der **Vater, -s, ¨** father
Venedig Venice
verbieten, verbot, verboten forbid
verbreiten spread
verbrennen, verbrannte, verbrannt be burnt up, burn up
verbringen, verbrachte, verbracht spend
verdammen damn, condemn; **die Verdammnis** damnation
der **Verderber, -s, -** destroyer
verdienen earn, deserve
die **Vereinigung, -en** union, fusion
der **Verfasser, -s, -** author
verfluchen curse
die **Verfolgung, -en** persecution
verführen lead astray
vergeben, vergab, vergeben, vergibt forgive; **die Vergebung** forgiveness
vergessen, vergaß, vergessen, vergißt forget
der **Vergleich, -(e)s, -e** comparison; **vergleichen, verglich, verglichen** compare
verhüllen cover
verkaufen sell
verkörpern personify, embody
verlangen demand, desire; **das Verlangen nach** desire for
verlassen, verließ, verlassen, verläßt leave
verlieren, verlor, verloren lose; **verlorengegangen** lost
das **Verlorengehen, -s** loss, downfall
vermachen leave (by will), bequeath
vermessen presumptuous, bold; **die Vermessenheit** presumptuousness
vermögen, vermochte, vermocht, vermag be able to
vermutlich presumable
sich **verneigen** bow
verneinen deny, negate; **die Verneinung** denial, negation
die **Vernunft** reason
verraten, verriet, verraten, verrät reveal, betray
verschieden different
verschollen lost
sich **verschreiben, verschrieb, verschrieben** sell one's soul; **die Verschreibung, -en** written promise
verschwinden, verschwand, ist verschwunden disappear, vanish
verspotten ridicule
die **Verständigung, -en** agreement
versprechen, versprach, versprochen, verspricht promise
das **Versprechen, -s** promise
verstehen understand; **sich verstehen auf** know something about; **verstehen unter** mean by
der **Versuch, -s, -e** attempt; **versuchen** try, attempt; tempt; **die Versuchung, -en** temptation
vertiefen deepen
der **Vertreter, -s, -** representative
sich **verwandeln** change, be transformed; **die Verwandlung, -en** transformation
verwechseln confuse
verwegen presumptuous, bold
verweilen linger
verwirrt confused
verwundern astonish; **sich verwundern** be astonished
verzaubern put a spell on; **verzaubert** enchanted
verzeihen, verzieh, verziehen forgive; **die Verzeihung** forgiveness, pardon
verzweifeln despair; **verzweifelt** in despair of; **die Verzweiflung** despair
die **Vesperzeit** vespers
viel much; **viele** many
vielerlei many kinds of
vielleicht perhaps
der **Vogel, -s, ¨** bird
das **Volksbuch, -(e)s, ¨er** popular romance, chapbook
voll full, full of; **voller** full of
vollkommen perfect
von of, from, in, by
vor before, in front of, ago; **vor allem** above all
vorbei over, past
vor-gaukeln perform (with trickery)
vor-gehen gegen proceed against
vorher before, formerly
vorher-sagen predict
vor-kommen, kam vor, ist vorgekommen occur
die **Vorlesung, -en** lecture
der **Vorname, -ns, -n** first name
vornehm distinguished

sich **vor-nehmen, nahm vor, vorgenommen, nimmt vor** make up one's mind to, decide
der **Vorschlag, -(e)s, ⸚e** proposal
vor-setzen serve, put before
die **Vorstellung, -en** idea, conception
vorwitzig inquisitive, prying

W

wachsen, wuchs, ist gewachsen, wächst grow
wagen dare
der **Wagen, -s, -** wagon
wahnsinnig insane
wahr true; **wahrhaft** truly; **die Wahrheit** truth
während during; while
wahrsagen tell fortunes; **der Wahrsager, -s, -** fortune-teller; **Wahrsagerei treiben** tell fortunes; **die Wahrsagung, -en** prophecy
wahrscheinlich probably
der **Wald, -(e)s, ⸚er** woods, forest
die **Wand, ⸚e** wall
das **Wanderleben, -s** roving life
wandern wander, go
wann when
die **Wärme** warmth, heat; **wärmen** heat
warnen warn; **warnen vor** warn of; **ein warnendes Beispiel** an awful example
warten wait
warum why
die **Warze, -n** wart
was what; **was auch** whatever; **was für ein** what kind of
das **Wasser, -s** water
der **Wassersturz, -es** waterfall
weben weave, float
weder . . . noch neither . . . nor
weg away
der **Weg, -(e)s, -e** way, path, road
wegen on account of, because of
die **Weheklag(e), -n** lament
das **Weib, -(e)s, -er** woman; **weiblich** feminine
sich **weigern** refuse
weil because
die **Weile** a while
der **Wein, -(e)s, -e** wine
weinen weep, cry
weise wise, prudent
die **Weise** manner
weiß white
weit far, wide; **weiter** further, farther; **weiter-** further, continue to
welch which, what
die **Welt** world; **weltlich** secular, worldly
sich **wenden an, wandte, gewandt** turn to; **die Wendung, -en** turning, change
wenig little; **wenige** few; **weniger** less
wenn when, if, whenever
wer who, whoever
werden (zu), wurde, ist geworden, wird become
werfen, warf, geworfen, wirft throw, cast
das **Werk, -(e)s, -e** work
der **Wert, -(e)s, -e** value; **wertvoll** valuable
das **Wesen, -s, -** character, essence, being
wesentlich essential, significant, vital
weshalb why
westlich western
die **Wette, -n** wager, bet
widerlich obnoxious
wie as, how, like
wieder again; **wiederum** again
sich **wiederseh(e)n, sah wieder, wiedergesehen, sieht wieder** see each other again
wieso why
wild wild, unrestrained
der **Wille, -ns** will
wirklich real; **die Wirklichkeit** reality, actual fact
der **Wirt, -(e)s, -e** innkeeper; **das Wirtshaus, -es, ⸚er** inn
wissen, wußte, gewußt, weiß know; **das Wissen, -s** learning, knowledge
die **Wissenschaft, -en** science, field of knowledge
der **Wissensdurst, -es** thirst for knowledge
wo where; **woher** from where; **wohin** where to
wohl well; probably
wohnen live; **die Wohnung, -en** dwelling, home
wollen, wollte, gewollt, will want to, claim to, will
worauf whereupon
das **Wort, -(e)s, -e** or **⸚er** word; **das Wörterbuch, -(e)s, ⸚er** dictionary; **die Wortkunst** literature, art of words
das **Wunder, -s, -** miracle, wonder
wunderbar marvelous, wonderful
sich **wundern** wonder, be astonished
wunderschön very beautiful
das **Wunderwerk, -(e)s, -e** miracle, work of wonder
wünschen wish, desire; **der Wunsch, -es, ⸚e** wish, desire

Z

die **Zahl, -en** number; **zahllos** countless; **zahlreich** numerous

der **Zahn, -(e)s, ⸚e** tooth
die **Zauberei** magic; **der Zauberer, -s, -** magician; **die Zauberformel, -n** magic formula; **die Zauberkünste** magic tricks; **zaubern** produce by magic; **die Zauberschule** school of magic
das **Zeichen, -s, -** sign
zeigen show
die **Zeit, -en** time; **zur Zeit** at the time
das **Zeitalter, -s, -** age, epoch
der **Zeitgenosse, -n, -n** contemporary
ziehen, zog, gezogen draw, pull
das **Zimmer, -s, -** room
zitieren quote
der **Zorn, -(e)s** anger; **zornig** angry
zu to, toward, at, for, in; too
zuerst at first
die **Zugabe, -n** addition
zugleich at the same time
zu-hören listen
die **Zukunft** future
sich **zu-legen** take (for oneself)
zuletzt finally, at last
zurück back
zurück-kehren return
zusammen together
zusammen-halten, hielt zusammen, zusammengehalten, hält zusammen hold together
zuvor before
zuweilen sometimes, occasionally
zwar specifically, to be sure, indeed
der **Zweifel, -s, -** doubt; **zweifeln** doubt
zwischen between